# General Industry Fieldbook
(Flip for Spanish version.)

# Table of Contents

(The red numbers preceding each paragraph and page numbers at the bottom of each page are the same in Spanish and English for quick reference.)

Changing The Complex Into Compliance®

**Mangan Communications, Inc.**
315 West Fourth Street
Davenport, Iowa 52801
(563) 323-6245
1-800-MANCOMM
(626-2666)
Fax: (563) 323-0804
Website: http://www.mancomm.com
E-mail: safetyinfo@mancomm.com

Copyright © MMV

by

Changing The Complex Into Compliance®

**Mangan Communications, Inc.**
315 West Fourth Street
Davenport, Iowa 52801
(563) 323-6245
1-800-MANCOMM
(626-2666)
Fax: (563) 323-0804
Website: http://www.mancomm.com
E-mail: safetyinfo@mancomm.com

Library of Congress Control Number: 2003115951
ISBN:1-932249-27-3

# Subject Index

|  | Page | Paragraph |
|---|---|---|

# Most Common Standards Cited for General Industry *

| Standard | # Cited | Description |
|---|---|---|
| 1910.1200 | 7129 | Hazard Communication |
| 1910.147 | 4292 | The Control of Hazardous Energy, Lockout/Tagout |
| 1910.134 | 4207 | Respiratory Protection |
| 1910.305 | 3245 | Electrical, Wiring Methods, Components, and Equipment |
| 1910.212 | 3217 | Machines, General Requirements |
| 1910.178 | 3152 | Powered Industrial Trucks |
| 1910.303 | 2361 | Electrical Systems Design, General Requirements |
| 1910.219 | 2263 | Mechanical Power-Transmission Apparatus |
| 1910.132 | 1855 | Personal Protective Equipment, General Requirements |
| 1910.1030 | 1728 | Bloodborne Pathogens |
| 1910.215 | 1566 | Abrasive Wheel Machinery |
| 1910.23 | 1522 | Guarding Floor and Wall Openings and Holes |
| 1910.157 | 1416 | Portable Fire Extinguishers |
| 1910.37 | 1378 | Means of Egress, General |
| 1910.213 | 1290 | Woodworking Machinery Requirements |
| 1910.217 | 1194 | Mechanical Power Presses |
| 1910.22 | 1150 | Walking-Working Surfaces, General Requirements |
| 1910.146 | 1127 | Permit-Required Confined Spaces |
| 1910.95 | 1104 | Occupational Noise Exposure |
| 1910.151 | 883 | Medical Services and First Aid |
| 1910.107 | 814 | Spray Finishing Using Flammable and Combustible Materials |
| 1910.106 | 806 | Flammable and Combustible Liquids |
| 1910.266 | 770 | Pulpwood Logging |
| 1910.304 | 734 | Electrical, Wiring Design and Protection |
| 1910.253 | 613 | Oxygen-Fuel Gas Welding and Cutting |
| 1910.179 | 583 | Overhead and Gantry Cranes |
| 1910.242 | 561 | Hand and Portable Powered Tools and Equipment, General |
| 1910.133 | 556 | Eye and Face Protection |
| 1910.36 | 517 | Means of Egress, General Requirements |
| 1910.141 | 506 | Sanitation |
| 1910.119 | 469 | Process Safety Management, Highly Hazardous Chemicals |
| 1910.1025 | 455 | Lead |
| 1910.176 | 382 | Materials Handling, General |
| 1910.1000 | 369 | Air Contaminants |
| 1910.184 | 330 | Slings |
| 1910.38 | 310 | Employee Emergency Plans and Fire Prevention Plans |
| 1910.1052 | 296 | Methylene Chloride |
| 1910.24 | 262 | Fixed Industrial Stairs |
| 1910.334 | 256 | Electrical, Use of Equipment |
| 1910.252 | 252 | Welding, Cutting, and Brazing, General Requirements |
| 1910.138 | 236 | Hand Protection |
| 1910.333 | 235 | Electrical, Selection and Use of Work Practices |
| 1910.101 | 204 | Compressed Gases, General Requirements |
| 1910.120 | 194 | Hazardous Waste Operations and Emergency Response |
| 1910.1001 | 180 | Asbestos, Tremolite, Anthophyllite, and Actinolite |
| 1910.110 | 177 | Storage and Handling of Liquified Petroleum Gases |
| 1910.1048 | 164 | Formaldehyde |
| 1910.67 | 154 | Vehicle-Mounted Elevating and Rotating Work Platforms |
| 1910.243 | 141 | Guarding of Portable Powered Tools |
| 1910.27 | 139 | Fixed Ladders |
| 1910.332 | 133 | Electrical, Training |
| 1910.335 | 121 | Electrical, Safeguards for Personnel Protection |
| 1910.145 | 115 | Specifications, Accident Prevention Signs and Tags |
| 1910.180 | 114 | Crawler, Locomotive, and Truck Cranes |
| 1910.265 | 96 | Sawmills |
| 1910.272 | 95 | Grain Handling Facilities |
| 1910.1020 | 93 | Access to Employee Exposure and Medical Records |
| 1910.254 | 91 | Arc Welding and Cutting |
| 1910.1027 | 89 | Cadmium |

# Most Common Standards Cited for General Industry *

| Standard | # Cited | Description |
|----------|---------|-------------|
| 1910.26 | 88 | Portable Metal Ladders |
| 1910.307 | 82 | Electrical, Hazardous (Classified) Locations |
| 1910.244 | 76 | Other Portable Tools and Equipment |
| 1910.124 | 71 | Dipping and Coating Operations, General Requirements |
| 1910.269 | 65 | Electric Power Generation, Transmission, and Distribution |
| 1910.94 | 62 | Ventilation |
| 1910.136 | 62 | Occupational Foot Protection |
| 1910.255 | 55 | Resistance Welding |
| 1910.28 | 54 | Safety Requirements for Scaffolding |
| 1910.135 | 54 | Occupational Head Protection |
| 1910.177 | 51 | Servicing Multi-Piece and Single-Piece Rim Wheels |
| 1910.25 | 48 | Portable Wood Ladders |
| 1910.1450 | 48 | Occupational Exposure, Hazardous Chemicals in Laboratories |
| 1910.142 | 45 | Temporary Labor Camps |
| 1910.169 | 44 | Compressed Air Receivers |
| 1910.29 | 40 | Manually Propelled Mobile Ladder Stands and Scaffolds |
| 1910.125 | 30 | Dipping or Coating Operations Using Flammable or Combustible Liquids |
| 1910.263 | 29 | Bakery Equipment |
| 1910.39 | 28 | Fire Prevention Plans |
| 1910.165 | 27 | Employee Fire Protection Alarm Systems |
| 1910.30 | 24 | Other Working Surfaces |
| 1910.268 | 23 | Telecommunications |
| 1910.1018 | 23 | Inorganic Arsenic |
| 1910.159 | 22 | Automatic Sprinkler Systems |
| 1910.1096 | 19 | Ionizing Radiation |
| 1910.261 | 17 | Pulp, Paper, and Paperboard Mills |
| 1910.1047 | 12 | Ethylene Oxide |
| 1910.109 | 11 | Explosives and Blasting Agents |
| 1910.126 | 11 | Additional Requirements for Special Dipping and Coating Operations |
| 1910.137 | 10 | Electrical Protective Devices |
| 1910.144 | 10 | Safety Color Code for Marking Physical Hazards |
| 1910.156 | 10 | Fire Brigades |
| 1910.306 | 9 | Specific Purpose Electrical Equipment and Installations |
| 1910.68 | 8 | Manlifts |
| 1910.262 | 8 | Textiles |
| 1910.264 | 8 | Laundry Machinery and Operations |
| 1910.218 | 7 | Forging Machines |
| 1910.1017 | 7 | Vinyl Chloride |
| 1910.103 | 5 | Hydrogen |
| 1910.102 | 4 | Acetylene |
| 1910.104 | 4 | Oxygen |
| 1910.160 | 4 | Fixed Extinguishing Systems, General |
| 1910.181 | 4 | Derricks |
| 1910.216 | 4 | Mills and Calenders in Rubber and Plastics Industries |
| 1910.422 | 4 | Diving, Procedures During Dive |
| 1910.430 | 4 | Diving, Equipment Procedures and Requirements |
| 1910.20 | 3 | Access to Employee Exposure and Medical Records |
| 1910.111 | 3 | Storage and Handling of Anhydrous Ammonia |
| 1910.158 | 3 | Standpipe and Hose Systems |
| 1910.421 | 3 | Diving, Pre-Dive Procedures |
| 1910.1028 | 3 | Benzene |
| 1910.66 | 2 | Power Platforms for Building Maintenance |
| 1910.241 | 2 | Grinding Type 11 Flaring Cup Wheels |
| 1910.97 | 1 | Nonionizing Radiaion |
| 1910.162 | 1 | Gaseous Agent Fixed Extinguishing Systems |
| 1910.420 | 1 | Diving, Safe Practices Manual |
| 1910.424 | 1 | Scuba Diving |
| 1910.425 | 1 | Diving, Surface-Supplied Air Diving |
| 1910.1045 | 1 | Acrylonitrile |
| 1910.1051 | 1 | 1,3-Butadiene |

1. # Abrasive Blasting

2. Blast cleaning nozzles shall be equipped with an operating valve that must be held open manually. A support shall be provided on which the nozzle may be mounted when not in use. **§1910.244(b)**

3. Blast-cleaning enclosures shall be exhaust ventilated in such a way that a continuous inward flow of air will be maintained at all openings in the enclosure during the abrasive blasting operation. **§1910.94(a)(3)(i)**

4. # Abrasive Grinding

5. Abrasive wheel machinery and portable power tools shall be used only on machines provided with safety guards, with the following exceptions:

6. • wheels used for internal work while within the work being ground;

7. • mounted wheels, used in portable operations, 2 inches (5 centimeters) and smaller in diameter; and

8. • type 16, 17, 18, 18R, and 19 cones, plugs, and threaded hole pot balls where the work offers protection. **§§1910.215(a)(1) and 1910.243(c)(1)(i)**

9. Abrasive wheel machinery and portable power tool safety guards shall cover the spindle end, nut, and flange projections, except:

10. • safety guards on all operations where the work provides a suitable measure of protection to the operator may be so constructed that the spindle end, nut, and outer flange are exposed;

11. • where the nature of the work is such as to entirely cover the side of the wheel, the side covers of the guard may be omitted; and

12. • the spindle end, nut, and outer flange may be exposed on machines designed as portable saws. **§§1910.215(a)(2) and 1910.243(c)(1)(ii)**

13. Work rests shall be adjusted so that they are no more than 1/8 inch (3.2 millimeters) from the abrasive wheel. **§1910.215(a)(4)**

14. Abrasive wheel safety guards for bench and floor stands and for cylindrical grinders shall not expose the grinding wheel periphery for more than 65 degrees above the horizontal plane of the wheel spindle. The protecting member shall be adjustable for variations in wheel size so that the distance between the wheel periphery and adjustable tongue (tongue guard) or end of the peripheral member at the top shall never exceed 1/4 inch (6 millimeters). **§1910.215(b)(3), (4), and (9)**

15. Machines designed for a fixed location shall be securely anchored to prevent "walking," or designed in such a manner that in normal operation they will not move. **§1910.212(b)**

16.  Immediately before mounting an abrasive wheel, it must be closely inspected and sounded by the user (ring test) to make sure they have not been damaged in transit, storage, or otherwise. The spindle speed of the grinding machine must be checked before installing the abrasive wheel to be certain it does not exceed the maximum operating speed marked on the wheel. Wheels should be tapped gently with a handle of a screwdriver for light wheels, or a wooden mallet for heavier wheels. If they sound cracked (dead), they shall not be used. **§1910.215(d)(1)**

17.  Hoods connected to exhaust systems shall be used. No wheels, discs, straps, or belts shall be operated in a way and direction as to cause dust and dirt particles to be thrown into the operator's breathing zone. **§1910.94(b)(3)(i)**

18.  Grinding wheels on floor stands, pedestals, benches, and special-purpose grinding machines and abrasive cutting-off wheels shall have not less than the minimum exhaust volumes shown in Table G-4 with a recommended minimum duct velocity of 4,500 feet per minute in the branch and 3,500 feet per minute in the main. **§1910.94(b)(3)(ii)**

**Table G-4 - Grinding and Abrasive Cutting-Off Wheels**

| Wheel diameter (inches) | Wheel width (inches) | Minimum exhaust volume (ft.$^3$/min.) |
|:---:|:---:|:---:|
| To 9 | 1 ½ | 220 |
| Over 9 to 16 | 2 | 390 |
| Over 16 to 19 | 3 | 500 |
| Over 19 to 24 | 4 | 610 |
| Over 24 to 30 | 5 | 880 |
| Over 30 to 36 | 6 | 1,200 |

## 19. Access to Medical and Exposure Records

20.  Upon an employee's first entering into employment, and at least annually thereafter, each employer shall inform current employees covered by this section of the following:

21.  • The existence, location, and availability of any records covered by this section;

22.  • The person responsible for maintaining and providing access to records; and

23.  • Each employee's rights of access to these records. **§1910.1020(g)(1)**

24.  Each employer shall permit employees, their designated representatives, and OSHA direct access to employer-maintained exposure and medical records. The standard limits access only to those employees who are, have been (including former employees), or will be exposed to toxic substances or harmful physical agents. **§1910.1020(e)(2)(iii), (e)(3)(i), and (b)(1)**

25.  Each employer must preserve and maintain accurate medical and exposure records for each employee. Exposure records and data analyses based on them are to be kept for 30 years. Medical records are to be kept for at least the duration of employment plus 30 years. Background data for exposure records such as laboratory reports and work sheets need to be kept for only 1 year. **§1910.1020(d)**

26. Records of employees who have worked for less than 1 year need not be retained after employment, but the employer must provide these records to the employee upon termination of employment. First-aid records of one-time treatment need not be retained for any specified period. **§1910.1020(d)(1)(i)**

27. Material safety data sheets need not be retained for any specified period as long as some record of the identity of the substance, where it was used, and when it was used is retained for at least thirty years. **§1910.1020(d)(1)(ii)(B)**

## 28. Air Contaminants

29. Section 1910.1000 contains more than 600 permissible exposure limits (PEL). To achieve compliance with this section, administrative or engineering controls must first be determined and implemented whenever feasible. When such controls are not feasible to achieve full compliance, protective equipment or any other protective measures shall be used to keep the exposure of employees to air contaminants within the limits prescribed in this section. **§1910.1000(e)**

## 30. Air Receivers

31. All new air receivers installed shall be designed and constructed to meet the standards of the American Society of Mechanical Engineers (ASME) Boiler and Pressure Vessel Code, Section VIII, 1968. **§1910.169(a)(2)**

32. A drain pipe and valve shall be installed for the removal of accumulated oil and water. **§1910.169(b)(2)**

33. Indicating gauges and safety valves shall be installed, and tested frequently. **§1910.169(b)(3)(i)-(iv)**

## 34. Aisles and Passageways

35. Where mechanical handling equipment is used, sufficient safe clearances shall be allowed for aisles, at loading docks, through doorways, and wherever turns or passage must be made. Aisles and passageways used by mechanical equipment shall be kept clear and in good repair, with no obstruction across or in aisles that could create hazards. **§§1910.22(b)(1) and 1910.176(a)**

36. Permanent aisles and passageways shall be appropriately marked. **§§1910.22(b)(2) and 1910.176(a)**

37. Covers and/or guardrails shall be provided to protect personnel from the hazards of open pits, tanks, vats, ditches, etc. **§1910.22(c)**

## 38. Asbestos

39. The employer shall ensure that no employee is exposed to an airborne concentration of asbestos in excess of 0.1 fiber per cubic centimeter of air (0.1 f/cc) as an 8-hour time-weighted average (TWA). **§1910.1001(c)(1)**

40. The employer shall ensure that no employee is exposed to an airborne concentration of asbestos in excess of 1.0 fiber per cubic centimeter of air (1 f/cc) as averaged over a sampling period of 30 minutes. **§1910.1001(c)(2)**

41.	To help reduce worker exposure to airborne fibers, asbestos must be handled, mixed, applied, removed, cut, scored, or otherwise worked in a wet state. This "wet" method also must be used when products containing asbestos are removed from bags, cartons, or containers. **§1910.1001(f)(1)(vi) and (viii)**

42.	Respirators must be used:

43.	(1) while feasible engineering and work-practice controls are being installed or implemented;

44.	(2) during maintenance and repair activities or other activities where engineering and work-practice controls are not feasible;

45.	(3) if feasible engineering and work-practice controls are insufficient to reduce employee exposure to below the TWA and/or excursion limit; and

46.	(4) in emergencies. **§1910.1001(g)(1)**

47.	Owners of buildings constructed prior to 1980 that contain thermal system insulation or sprayed-on or troweled-on surfacing material must presume that these materials contain asbestos and train custodial and maintenance workers to deal with it safely. They may rebut the presumption by sampling and analysis that determines that the building does not contain more than 1 percent asbestos. **§1910.1001(j)(1) and (2)**

## 48.	Belt Sanding Machines

49.	Belt sanding machines used for woodworking shall be provided with guards at each nip point where the sanding belt runs onto a pulley, and the unused run of the sanding belt shall be shielded to prevent accidental contact. **§1910.213(p)(4)**

50.	## Blasting (See Abrasive Blasting)

51.	## Blasting Agents (See Explosives and Blasting Agents)

## 52.	Bloodborne Pathogens

53.	Each employer having employee(s) who may incur skin, eye, mucous membrane, or parenteral contact with blood or other potentially infectious materials as a result of performing their professional duties shall establish a written exposure control plan designed to eliminate or minimize exposure. **§1910.1030(c)(1)(i)**

54.	Universal precautions shall be observed to prevent contact with blood or other potentially infectious materials. This includes first-aid workers and other emergency care providers who might be exposed to bleeding victims. Under circumstances in which differentiation between body fluid types is difficult or impossible, all body fluids shall be considered potentially infectious. **§1910.1030(d)(1)**

55.	Engineering and work practice controls shall be used to eliminate or minimize employee exposure. Where occupational exposure remains after instituting engineering and work practice controls, personal protective equipment (PPE) shall also be used. **§1910.1030(d)(2)(i)**

56. **Boilers** (See Pressure Vessels (Boilers))

## 57. 1,3-Butadiene

58. Permissible exposure limits (PELs) for 1,3-Butadiene are:

59. (1) **Time-weighted average (TWA) limit.** The employer shall ensure that no employee is exposed to an airborne concentration in excess of one part per million parts of air (ppm) measured as an 8-hour TWA. **§1910.1051(c)(1)**

60. (2) **Short-term exposure limit (STEL).** The employer shall ensure that no employee is exposed to an airborne concentration in excess of five ppm of air as determined over a sampling period of 15 minutes. **§1910.1051(c)(2)**

61. **Cables** (See Chains, Cables, Ropes, and Hooks)

## 62. Cadmium

63. The standard establishes an 8-hour, TWA permissible exposure limit (PEL) of 5 micrograms per cubic meter of air (5 µg/m$^3$) and an action level of 2.5 micrograms per cubic meter of air (2.5 µg/m$^3$) for all industries. The PEL applies to all cadmium compounds and does not differentiate between exposure to cadmium fumes or dust. **§1910.1027(b) and (c)**

64. In six major cadmium industries covered by the general industry standard (nickel-cadmium batteries, cadmium/zinc refining, lead smelting, pigments, plating, plastics), OSHA determined that it was not technologically or economically feasible to engineer to a TWA PEL of 5 micrograms per cubic meter of air (5 µg/m$^3$). A separate engineering control air limit (SECAL) of either 15 micrograms per cubic meter of air (15 µg/m$^3$) or 50 micrograms per cubic meter of air (50 µg/m$^3$) was established for these industries. **§1910.1027(f)(1)(ii)**

**Table 1 - Separate Engineering Control Airborne Limits (SECALs) for Processes in Selected Industries**

| Industry | Process | SECAL (µg/m$^3$) |
|---|---|---|
| Nickel cadmium battery | Plate making, plate preparation | 50 |
| | All other processes | 15 |
| Zinc/Cadmium refining* | Cadmium refining, casting, melting, oxide production, sinter plant | 50 |
| Pigment manufacture | Calcine, crushing, milling, blending | 50 |
| | All other processes | 15 |
| Stabilizers* | Cadmium oxide charging, crushing, drying, blending | 50 |
| Lead smelting* | Sinter plant, blast furnace, baghouse, yard area | 50 |
| Plating* | Mechanical plating | 15 |

\* Processes in these industries that are not specified in this table must achieve the permissible exposure limit (PEL) using engineering controls and work practices as required in (f)(1)(i).

65. Employers must institute medical surveillance programs for all employees who, for 30 or more days per year, are exposed at or above the action level. Medical surveillance also is required for all employees who, although not currently exposed at or above the action level, have been exposed to cadmium prior to this standard by the employer for an aggregate period of more than 60 months. **§1910.1027(l)(1)(i)**

## 66. Change Rooms

67. Employers are to provide employees with a room to change from their work clothes into their street clothes at the end of their shift when they work in regulated areas or work in areas above the PEL or at hazardous waste cleanup sites that will be in operation for 6 months or longer. **§§1910.141(e) and 1910.1025(i)(2)**

## 68. Chains, Cables, Ropes, and Hooks

69. Hooks and chains used with overhead or gantry cranes shall be visually inspected daily. Monthly inspections shall be done with a certification record, dated, signed by the inspector, and kept on file readily available to appointed personnel. Running ropes shall be inspected monthly and a certification record kept on file and readily available to appointed personnel. **§1910.179(j)(2) and (m)(1)**

70. All U-bolt clips on hoist ropes on overhead and gantry cranes shall be installed so that the U-bolt is in contact with the dead end (short or nonload carrying end) of the rope. Clips shall be installed in accordance with the clip manufacturer's recommendation. All nuts on newly installed clips shall be tightened after 1 hour of use. **§1910.179(h)(2)(v)**

71. Hoist ropes on crawler, locomotive, and truck cranes shall be free from kinks or twists and shall not be wrapped around the load. **§1910.180(h)(2) and (3)**

72. Crane hooks with deformations or cracks that have been opened more than 15 percent of the normal throat opening measured at the narrowest point or twisted more than 10 degrees out of alignment are to be evaluated before use to determine if they are safe for the intended load. **§1910.180(d)(3)(v)**

73. Each day before being used, the sling and all fastenings and attachments must be inspected for damage or defects by a competent person designated by the employer. Additional inspections must be performed during sling use, where service conditions warrant. Damaged or defective slings must be immediately removed from service. **§1910.184(d)**

74. Hooks on wire rope slings that have been opened more than 15 percent of the normal throat opening measured at the narrowest point or twisted more than 10 degrees from the plane of the unbent hook shall be immediately removed from service. **§1910.184(f)(5)(vi)**

## 75. Chemical Information (See Hazard Communication or specific chemical term)

## 76. Compressed Air, Use of

77. Compressed air used for cleaning purposes shall not exceed 30 pounds (13.5 kilograms) per square inch (6.5 square centimeters) when the nozzle end is obstructed or dead-ended, and then only with effective chip guarding and personal protective equipment. **§1910.242(b)**

## 78. Compressed Gas Cylinders

79. Inside of buildings, oxygen-fuel gas welding cylinders generally shall be stored in a well-protected, well-ventilated, dry location, at least 20 feet (6.1 meters) from highly combustible materials such as oil or excelsior. Cylinders should be stored in definitely assigned places away from elevators, stairs, or gangways. Assigned storage spaces shall be located where cylinders will not be knocked over or damaged by passing or falling objects, or subject to tampering by unauthorized persons. Cylinders shall not be kept in unventilated enclosures such as lockers and cupboards. §1910.253(b)(2)(ii)

80. Where such a cylinder is designed to accept a valve protection cap, caps shall be in place, except when the cylinder is in use or is connected for use. §1910.253(b)(2)(iv)

## 81. Compressed Gases

### 82. Acetylene

83. Under no condition shall acetylene be generated, piped (except in approved cylinder manifolds), or utilized at a pressure in excess of 15 pounds per square inch (psi) (103 kPa gauge pressure) or 30 psi (206 kPa absolute). The use of liquid acetylene is prohibited. §1910.253(a)(2)

84. Acetylene cylinders shall be stored and used in a vertical, valve-end-up position only. §1910.253(b)(3)(ii)

85. The in-plant transfer, handling, and storage of acetylene in cylinders shall be in accordance with Compressed Gas Association Pamphlet G-1-1966. §1910.102(a)

### 86. Hydrogen

87. Hydrogen containers shall comply with one of the following:

88.     (1) designed, constructed, and tested in accordance with appropriate requirements of ASME *Boiler and Pressure Vessel Code, Section VIII — Unfired Pressure Vessels* — 1968; or §1910.103(b)(1)(i)(a)(1)

89.     (2) designed, constructed, tested, and maintained in accordance with U.S. Department of Transportation specifications and regulations. §1910.103(b)(1)(i)(a)(2)

90. Hydrogen systems shall be located so that they are readily accessible to delivery equipment and to authorized personnel, shall be located above ground, and shall not be located beneath electric power lines. Systems shall not be located close to flammable liquid piping or piping of other flammable gases. §1910.103(b)(2)(i)(a)-(d)

91. Permanently installed containers shall be provided with substantial noncombustible supports on firm noncombustible foundations. §1910.103(b)(1)(i)(b)

### 92. Nitrous Oxide

93. The piped systems for the in-plant transfer and distribution of nitrous oxide shall be designed, installed, maintained, and operated in accordance with Compressed Gas Association Pamphlet G-8.1-1964. §1910.105

94. Oxygen

95. Oxygen cylinders in storage shall be separated from fuel-gas cylinders or combustible materials (especially oil or grease) a minimum distance of 20 feet (6 meters) or by a noncombustible barrier at least 5 feet (1.5 meters) high having a fire resistance rating of 1/2 hour. **§1910.253(b)(4)(iii)**

## 96. Confined Spaces

97. The employer shall evaluate the workplace to determine if confined space conditions exist that necessitate permits for entry. **§1910.146(c)(1)**

98. Confined space means a space that:

99. • Is large enough to enter and perform work;

100. • Has limited or restricted access;

101. • Is not designed for continuous employee occupancy; and

102. • Contains a hazard. **§1910.146(b)**

103. If permit-required confined spaces exist, exposed employees must be informed of the existence, location, and dangers of the permit space by positive means, such as signs, or there must be an equally effective means of communicating the hazards of these spaces. **§1910.146(c)(2)**

104. If the employer decides that employees will not enter permit spaces, the employer shall take effective measures to prevent them from entering the permit spaces and shall comply with paragraphs (c)(1) and (c)(2) as listed above, and (c)(6) and (c)(8) as listed below. **§1910.146(c)(3)**

105. When there are changes in the use or configuration of a non-permit confined space that might increase the hazards to entrants, the employer shall reevaluate that space and, if necessary, reclassify it as a permit-required confined space. **§1910.146(c)(6)**

106. When an employer (host employer) arranges to have employees of another employer (contractor) perform work that involves permit space entry, the host employer shall:

107. • inform the contractor that the workplace contains permit spaces and that permit space entry is allowed only through compliance with a permit space program meeting the requirements of this section;

108. • apprise the contractor of the elements, including the hazards identified and the host employer's experience with the space, that make the space in question a permit space;

109. • apprise the contractor of any precautions or procedures that the host employer has implemented for the protection of employees in or near permit spaces where contractor personnel will be working;

110. • develop and implement procedures to coordinate entry operations with the contractor, when both host employer personnel and contractor personnel will be working in or near permit spaces, so that employees of one employer do not endanger the employees of any other employer; and

111. • debrief the contractor at the conclusion of the entry operations regarding the permit space program followed and regarding any hazards confronted or created in permit spaces during entry operations. **§1910.146(c)(8) and (d)(11)**

112. If confined space entry is required, a written permit program must be developed and initiated by the employer. The written program shall be available for inspection by employees and their authorized representatives. **§1910.146(c)(4)**

113. Before entry is authorized, the employer shall develop and implement the means, procedures, and practices necessary for safe permit space entry operations, including, but not limited to, the following:

114. • specifying acceptable entry conditions;

115. • providing each authorized entrant or that employee's authorized representative with the opportunity to observe any monitoring or testing of permit spaces;

116. • isolating the permit space;

117. • purging, inerting, flushing, or ventilating the permit space as necessary to eliminate or control atmospheric hazards;

118. • providing pedestrian, vehicle, or other barriers as necessary to protect entrants from external hazards; and

119. • verifying that conditions in the permit space are acceptable for entry throughout the duration of an authorized entry. **§1910.146(d)(3) and (e)(1)**

120. The employer shall provide training so that all employees whose work is regulated by this section acquire the understanding, knowledge, and skills necessary for the safe performance of the duties assigned under this section. **§1910.146(g)(1)**

121. The employer shall ensure that each member of the rescue service is provided with, and is trained to use properly, the personal protective equipment and rescue equipment necessary for making rescues from permit spaces. **§1910.146(k)(2)**

## Cranes, Hoists, and Derricks (See Also Chains, Cables, Ropes, and Hooks)

123. All functional operating mechanisms, air and hydraulic systems, chains, ropes, slings, hooks, and other lifting equipment shall be visually inspected daily (frequent inspections). **§§1910.179(j)(2), 1910.180(d)(3), and 1910.184(d)**

124. Complete inspection of the crane shall be performed at 1 month to 12 month intervals (periodic inspections) depending on its activity, severity of service, and environmental conditions. The inspection shall include the following areas: deformed, cracked, corroded, worn, or loose members or parts; the brake system; limit indicators (wind, load); power plant; and electrical apparatus. **§§1910.179(j)(3), 1910.180(d)(4), and 1910.181(d)(3)**

125. Unsafe conditions disclosed by the inspection requirements shall be corrected before the operation is resumed, and the crane shall not be operated until all guards have been reinstalled. **§§1910.179(l)(3), 1910.180(f), and 1910.181(f)(3)**

126. Overhead cranes shall have stops at the limit of trolley travel. Bridge and trolley bumpers or equivalent automatic devices shall be provided. Bridge trucks shall have rail sweeps. **§1910.179(e)(1)-(4)**

127. The rated load of the crane shall be plainly marked on each side of the crane, and if the crane has more than one hoisting unit, each hoist shall have its rated load marked on it or its load block, and this marking shall be clearly legible from the ground or floor. **§1910.179(b)(5)**

128. Pendant control boxes shall be clearly marked for identification of functions. **§1910.179(g)(1)(v)**

129. There shall be no hoisting, lowering, or traveling while any employee is on the load or hook. **§§1910.179(n)(3)(v), 1910.180(h)(3)(v), and 1910.181(i)(3)(v)**

130.

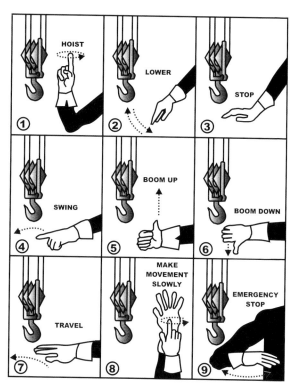

**RECOMMENDED HAND SIGNALS FOR
CONTROLLING CRANE OPERATIONS
PLATE C-11**

Source: *California OSHA Construction Safety Orders*, §1938 Appendix C Helpful Construction Methods

**USE MAIN HOIST.**
Tap fist on head;
then use regular signals.

**USE WHIP LINE.**
(Auxiliary Hoist)
Tap elbow with one hand;
then use regular signals.

**DOG EVERYTHING.**
Clasp hands in front
of body.

**RAISE THE BOOM AND
LOWER THE LOAD.**
With arm extended, thumb
pointing up, flex fingers in
and out as long as load
movement is desired.

**LOWER THE BOOM AND
RAISE THE LOAD.**
With arm extended, thumb
pointing down, flex fingers
in and out as long as load
movement is desired.

**TRAVEL. (Both Tracks)**
Use both fists in front of body,
making a circular motion,
about each other, indicating
direction of travel; forward or
backward.
(For crawler cranes only)

**TRAVEL.**
Arm extended forward, hand
open and slightly raised,
make pushing motion in
direction of travel.

**EXTENDED BOOM.**
(Telescoping Booms)
Both fists in front of body
with thumbs pointing
outward.

**RETRACT BOOM.**
(Telescoping Booms)
Both fists in front of body
with thumbs pointing
toward each other.

## RECOMMENDED HAND SIGNALS FOR
## CONTROLLING CRANE OPERATIONS
### PLATE C-11-a

Source: *California OSHA Construction Safety Orders*, §1938 Appendix C Helpful Construction Methods

# Derricks

132.

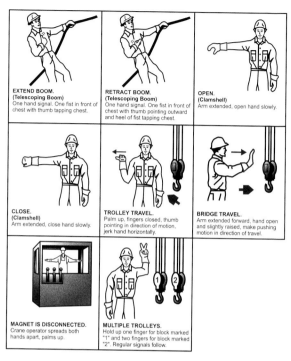

**RECOMMENDED HAND SIGNALS FOR
CONTROLLING CRANE OPERATIONS
PLATE C-11-b**

Source: *California OSHA Construction Safety Orders*, §1938 Appendix C Helpful Construction Methods

133. **Derricks** (See Cranes, Hoists, and Derricks)

134. ## Dip Tanks Containing Flammable or Combustible Liquids

135. A dip tank is a tank containing a liquid other than water. It applies when you use the liquid in the tank or its vapor to clean an object, coat an object, alter the surface of an object, or change the character of an object. This rule also applies to the draining or drying of an object you have dipped or coated. **§1910.123(a)**

136. Dip tanks with more than 150 gallons (570 liters) capacity, or 10 square feet (0.9 square meters) in liquid surface area, shall be equipped with a properly trapped overflow pipe leading to a safe location outside the building. **§1910.125(b)(1)**

137. There shall be no open flames, spark-producing devices, or heated surfaces having a temperature sufficient to ignite vapors in any flammable vapor area. **§1910.125(e)(1)(ii)**

138. Areas in the vicinity of dip tanks shall be kept as clear of combustible stock as practical and shall be kept entirely free of combustible debris. **§1910.125(e)(4)(i)**

139. All dip tanks exceeding 150 gallons (570 liters) of flammable liquid capacity or having a liquid surface area exceeding 4 square feet (0.36 meters) shall be protected with at least one of the following automatic extinguishing facilities: water spray system, foam system, carbon dioxide system, dry chemical system, or automatic dip tank cover. **§1910.125(f)**

140. This provision shall apply to hardening and tempering tanks having a liquid surface area of 25 square feet (2.25 square meters) or more or a capacity of 500 gallons (1,900 liters) or more. **§1910.125(f)**

141. ## Dockboards

142. Dockboards shall be strong enough to carry the load imposed on them. **§1910.30(a)(1)**

143. Portable dockboards shall be anchored or equipped with devices that will prevent their movement when in use. **§1910.30(a)(2)**

144. ## Drinking Water

145. Potable drinking water shall be provided in all places of employment. **§1910.141(b)(1)(i)**

146. Portable drinking water dispensers shall be designed, constructed, and serviced to ensure sanitary conditions, shall be capable of being closed, and shall have a tap. **§1910.141(b)(1)(iii)**

147. Open containers such as barrels, pails, or tanks for drinking water from which the water must be dipped or poured, whether or not they are fitted with a cover, are prohibited. **§1910.141(b)(1)(v)**

148. A common drinking cup and other common utensils are prohibited (i.e. glass, spoons, knives, etc.). **§1910.141(b)(1)(vi)**

## 149. Electrical

150. Electrical equipment shall be free from recognized hazards that are likely to cause death or serious physical harm to employees. **§1910.303(b)(1)**

151. All electrical equipment, including building electrical system components and tools that use electrical power, must be tested and accepted by an OSHA recognized testing laboratory. **§1910.303(b)(2)**

### 152. Flexible Cords and Cables (Extension Cords)

153. Flexible cords and cables shall be protected from accidental damage. **§1910.305(a)(2)(iii)(G)**

154. Unless specifically permitted, flexible cords and cables may not be used as a substitute for the fixed wiring of a structure; where attached to building surfaces; where concealed behind building walls, ceilings, or floors; where run through holes in walls, ceilings, or floors; or where run through doorways, windows, or similar openings. **§1910.305(g)(1)(iii)**

155. Flexible cords shall be connected to devices and fittings so that strain relief is provided that will prevent pull from being directly transmitted to joints or terminal screws. **§1910.305(g)(2)(iii)**

### 156. Grounding/Grounded

157. For a grounded system, a grounding electrode conductor shall be used to connect both the equipment grounding conductor and the grounded circuit conductor to the grounding electrode. Both the equipment grounding conductor and the grounding electrode conductor shall be connected to the grounded circuit conductor on the supply side of the service disconnecting means or on the supply side of the system disconnecting means or overcurrent devices if the system is separately derived. **§1910.304(f)(3)(i)**

158. For an underground service-supplied system, the equipment grounding conductor shall be connected to the grounding electrode conductor at the service equipment. **§1910.304(f)(3)(ii)**

159. The path to ground from circuits, equipment, and enclosures shall be permanent and continuous. **§1910.304(f)(4)**

160. Cord and plug connected equipment that may become energized must be grounded or the equipment must be distinctively marked to indicate the tool is double insulated. **§1910.304(f)(5)(v)**

161. Employees working in areas where there are potential electrical hazards must use electrical protective equipment that is appropriate for the specific parts of the body to be protected and for the work to be performed. **§1910.335(a)(1)(i)**

162. The following alerting techniques shall be used to warn and protect employees from hazards which could cause injury due to electric shock, burns, or failure of electric equipment parts:

163. • Safety signs, safety symbols, or accident prevention tags shall be used where necessary to warn employees about electrical hazards which may endanger them. **§1910.335(b)(1)**

164. • Barricades shall be used in conjunction with safety signs where it is necessary to prevent or limit employee access to work areas exposing employees to uninsulated energized conductors or circuit parts. Conductive barricades may not be used where they might cause an electrical contact hazard. **§1910.335(b)(2)**

165. • If signs and barricades do not provide sufficient warning and protection from electrical hazards, an attendant shall be stationed to warn and protect employees. **§1910.335(b)(3)**

## Guarding

166.

167. Electrical equipment shall be free from recognized hazards that are likely to cause death or serious physical harm to employees. **§1910.303(b)(1)**

## Identification

168.

169. Each disconnecting means shall be legibly marked to indicate its purpose, unless it is located and arranged so the purpose is evident. **§1910.303(f)**

## Listing and Labeling

170.

171. Listed or labeled equipment shall be used or installed in accordance with any instructions included in the listing or labeling. **§1910.303(b)(2)**

## Openings

172.

173. Unused openings in cabinets, boxes, and fittings shall be effectively closed. **§1910.305(b)(1)**

## Safety-Related Work Practices

174.

175. Safety-related work practices shall be employed to prevent electric shock or other injuries resulting from either direct or indirect electrical contacts when work is performed near or on equipment or circuits that are or may be energized. **§1910.333(a)**

176. Electrical safety-related work practices cover both qualified persons (those who have training in avoiding the electrical hazards of working on or near exposed energized parts) and unqualified persons (those with little or no such training). **§1910.331(a)**

177. Arc flash protection is required for energized work as referenced in NFPA 70E — 2004.

178. There must be written lockout and/or tagout procedures (This may be a copy of §1910.333(b)(2)). **§1910.333(b)(2)(i)**

179. Overhead power lines must be deenergized and grounded by the owner or operator of the lines, or other protective measures must be provided before work is started. Protective measures, such as guarding or insulating the lines, must be designed to prevent employees from contacting the lines. **§1910.333(c)(3)**

180. Unqualified employees and mechanical equipment must be at least 10 feet (3 meters) away from overhead power lines. If the voltage exceeds 50,000 volts (50 kV), the clearance distance should be increased by 4 inches (10 centimeters) for each additional 10,000 volts (10 kV). **§1910.333(c)(3)(i) and (iii)**

181. OSHA requires portable ladders to have nonconductive side rails if used by employees who work where they might contact exposed energized circuit parts. **§1910.333(c)(7)**

182. Splices

183. Conductors shall be spliced or joined with devices identified for such use or by brazing, welding, or soldering with a fusible alloy or metal. All splices, joints, and free ends of conductors shall be covered with an insulation equivalent to that of the conductor or with an insulating device suitable for the purpose. **§1910.303(c)**

## 184. Emergency Action Plans

185. Wherever any given OSHA standard requires one, an emergency action plan to ensure employee safety in the event of fire and other emergencies shall be prepared in writing and reviewed with affected employees. The plan shall include the following elements: escape procedures and routes, critical plant operations, employee accounting following an emergency evacuation, rescue and medical duties, means of reporting emergencies, and persons to be contacted for information or clarification. **§1910.38(a)-(c)**

## 186. Emergency Response (See Hazardous Waste Operations and Emergency Response)

## 187. Ergonomics (See Also General Duty Clause)

188. An ergonomic hazard may be caused or aggravated by repetitive motions, forceful exertions, vibration, sustained or awkward positioning, or mechanical compression of the hand, wrist, arm, back, neck, shoulder, and leg over extended periods, or from other ergonomic stressors.

## 189. Exits

190. Every building designed for human occupancy shall be provided with exits sufficient to permit the prompt escape of occupants in case of emergency. **§1910.36(b)(1)**

191. In hazardous areas, or where employees may be endangered by the blocking of any single means of egress due to fire or smoke, there shall be at least 2 means of egress remote from each other. **§1910.36(b)(1)**

192. Exits and the way of approach and travel from exits shall be maintained so that they are unobstructed and are accessible at all times. **§1910.37(a)(3)**

193. Each exit discharge must lead directly outside or to a street, walkway, refuge area, public way, or open space with access to the outside. **§1910.36(c)(1)**

194. Exit doors serving more than 50 people, or at high-hazard areas, shall open and swing in the direction of exit travel. **§1910.36(e)**

195. Exits shall be marked by readily visible, suitably illuminated exit signs. Exit signs shall be distinctive in color and provide contrast with surroundings. The word "EXIT" shall be of plainly legible letters, not less than 6 inches (15 centimeters) high. **§1910.37(b)(1), (2), and (7)**

196. Any door, passage, or stairway that is neither an exit nor a way of exit access, and that is so located or arranged as to be likely to be mistaken for an exit, shall be identified by a sign reading "Not an Exit" or similar designation. **§1910.37(b)(5)**

## 197. Explosives and Blasting Agents

198. All explosives shall be kept in approved magazines. **§1910.109(c)(1)(i)**

199. Stored packages of explosives shall be laid flat with top side up. Black powder, when stored in magazines with other explosives, shall be stored separately. **§1910.109(c)(5)(i)**

200. Vehicles used to store packages of explosives or blasting agents shall keep Department of Transportation placards visible until the vehicle is empty of explosives or blasting agents. **§1910.1201**

201. Smoking, matches, open flames, spark-producing devices, and firearms (except firearms carried by guards) shall not be permitted inside of or within 50 feet (15 meters) of magazines. The land surrounding a magazine shall be kept clear of all combustible materials for a distance of at least 25 feet (7.5 meters). Combustible materials shall not be stored within 50 feet (15 meters) of magazines. **§1910.109(c)(5)(vii)**

202. The manufacture of explosives and pyrotechnics shall meet the requirements of OSHA's Process Safety Management standard (§1910.119). **§1910.109(k)(2) and (3)**

## 203. Extension Cords (See Electrical, Flexible Cords and Cables (Extension Cords))

## 204. Eye and Face Protection (See Also Personal Protective Equipment)

205. Each affected employee shall use appropriate eye or face protection when exposed to eye or face hazards from flying particles, molten metal, liquid chemicals, acids or caustic liquids, chemical gases or vapors, or potentially injurious light radiation. **§1910.133(a)(1)**

206. Protective eye and face devices must comply with ANSI Z87.1-1989, *American National Standard Practice for Occupational and Educational Eye and Face Protection*. **§1910.133(b)(1) and (2)**

207. The employer shall ensure that each affected employee who wears prescription lenses while engaged in operations that involve eye hazards wears eye protection that incorporates the prescription in its design, or wears eye protection that can be worn over the prescription lenses without disturbing the proper position of the prescription lenses or the protective lenses. **§1910.133(a)(3)**

## 208. Eyewash/Drench Shower

209. Suitable facilities for quick drenching or flushing of the eyes and body shall be provided within the work area for immediate emergency use if there is a possibility that an employee might be exposed to injurious, corrosive materials. **§1910.151(c)**

## 210. Face Protection (See Eye and Face Protection)

## 211. Fall Protection

212. Every open-sided floor, platform, and runway 4 feet (1.2 meters) or more above the lower level shall have a guardrail to prevent employees from falling. **§1910.23(c)(1)**

## 213. Fan Blades

214. When the periphery of the blades of a fan is less than 7 feet (2.1 meters) above the floor or working level, the blades shall be guarded. The guard shall have openings no larger than 1/2 inch (12.5 millimeters). **§1910.212(a)(5)**

## 215. Fire Protection

216. Only approved fire extinguishers shall be used. **§1910.157(c)(2)**

217. If portable fire extinguishers are provided for employee use, the employer shall mount, locate, and identify them so they are readily accessible to employees without subjecting the employees to possible injury. These fire extinguishers shall be maintained in a fully charged and operable condition and kept in their designated places at all times except during use. **§1910.157(c)(1) and (4)**

218. Portable fire extinguishers containing carbon tetrachloride or chlorobromomethane shall not be used. **§1910.157(c)(3)**

219. Where the employer has provided portable fire extinguishers for employee use in the workplace, the employer also shall provide an educational program to familiarize employees with the general principles of fire extinguisher use and the hazards involved with incipient stage fire fighting. **§1910.157(g)(1)**

220. **Flammable Liquids** (See Also Dip Tanks Containing Flammable or Combustible Liquids)

221. Flammable liquids shall be kept in covered containers or tanks when not actually in use. **§1910.106(e)(2)(iv)(a)**

222. In industrial plants, for fire protection purposes, the quantity of flammable or combustible liquid that may be located outside of an inside storage room or storage cabinet in any one fire area of a building shall not exceed:

223. • 25 gallons (95 liters) of Class 1A liquids in containers;

224. • 120 gallons (456 liters) of Class 1B, 1C, II, or III liquids in containers; or

225. • 660 gallons (2,508 liters) of Class 1B, 1C, II, or III liquids in a single portable tank. **§1910.106(e)(2)(ii)(b)**

226. Flammable or combustible liquids shall be drawn from or transferred into containers within a building only through a closed piping system, from safety cans, by means of a device drawing through the top, or by gravity through an approved self-closing valve. Transferring by means of air pressure is prohibited. **§1910.106(e)(2)(iv)(d)**

227. Containers and Portable Tank Storage

228. Not more than 60 gallons (228 liters) of Class I or Class II liquids, nor more than 120 gallons (456 liters) of Class III liquids, may be stored in a storage cabinet. **§1910.106(d)(3)(i)**

229. Inside storage rooms for flammable and combustible liquids shall be constructed to meet the required fire-resistive rating and wiring for their uses and shall have a 4-inch (10.16-centimeter) sill around the perimeter of the room to contain spilled liquids. **§1910.106(d)(4)(i) and (iii)**

230. Flammable or combustible liquids, including stock for sale, shall not be stored so as to limit use of exits, stairways, or areas normally used for the safe egress of people. **§1910.106(d)(5)(i)**

231. Outside storage areas shall be graded so as to divert spills away from buildings or other exposures, or be surrounded with curbs at least 6 inches (15 centimeters) high with appropriate drainage to a safe location for accumulated liquids. The areas shall be protected against tampering or trespassing, where necessary, and shall be kept free of weeds, debris, and other combustible material not necessary to the storage. **§1910.106(d)(6)(iii) and (iv)**

232. Adequate precautions shall be taken to prevent the ignition of flammable vapors. Sources of ignition include, but are not limited to, open flames, lightning, smoking, cutting and welding, hot surfaces, frictional heat, static, electrical and mechanical sparks, spontaneous ignition, including heat-producing chemical reactions, and radiant heat. **§1910.106(e)(6)(i)**

233. Class I liquids shall not be dispensed into containers unless the nozzle and container are electrically interconnected. **§1910.106(e)(6)(ii)**

### 234. **Floors**

### 235. General Conditions

236. All floor surfaces shall be kept clean, dry, and free from protruding nails, splinters, loose boards, holes, or projections. **§1910.22(a)(1)-(3)**

237. Where wet processes are used, drainage shall be maintained, and false floors, platforms, mats, or other dry standing places shall be provided where practicable. **§1910.22(a)(2)**

### 238. Loading Limit

239. In every building or other structure, or part thereof, used for mercantile, business, industrial, or storage purposes, the loads approved by the building official shall be marked on plates of approved design that shall be supplied and securely affixed by the owner of the building, or his duly authorized agent, in a conspicuous place in each space to which they relate. Such plates shall not be removed or defaced, but if lost, removed, or defaced, shall be replaced by the owner or his agent. **§1910.22(d)(1)**

### 240. Openings and Open Sides

241. Every stairway and ladderway floor opening shall be guarded by standard railings with standard toeboards on all exposed sides except at the entrance. For infrequently used stairways, the guard may consist of a hinged cover and removable standard railings. The entrance to ladderway openings shall be guarded to prevent a person from walking directly into the opening. **§1910.23(a)(1) and (2)**

242. Every hatchway and chute floor opening shall be guarded by a hinged floor opening cover equipped with standard railings to leave only one exposed side or a removable railing with toeboard on not more than two sides and a fixed standard railing with toeboards on all other exposed sides. **§1910.23(a)(3)**

243. Every floor hole into which persons can accidentally walk shall be guarded by either a standard railing with standard toeboard on all exposed sides or a floor hole cover that should be hinged in place. While the cover is not in place, the floor hole shall be attended or shall be protected by a removable standard railing. **§1910.23(a)(8)**

244. Every open-sided floor, platform, or runway 4 feet (1.2 meters) or more above adjacent floor or ground level shall be guarded by a standard railing with toeboard on all open sides, except where there is entrance to a ramp, stairway, or fixed ladder. Runways not less than 18 inches (45 centimeters) wide used exclusively for special purposes may have the railing on one side omitted where operating conditions necessitate. **§1910.23(c)(1) and (2)**

245. Regardless of height, open-sided floors, walkways, platforms, or runways above or adjacent to dangerous equipment shall be guarded with a standard railing and toeboard. **§1910.23(c)(3)**

246. **Foot Protection** (See Also Personal Protective Equipment)

247. Foot protective equipment shall be worn when working in areas where there is a danger of foot injuries due to falling or rolling objects or objects piercing the sole, and where employees' feet are exposed to electrical hazards. **§1910.136(a)**

248. Employees in the logging industry are to wear heavy-duty logging boots that are waterproof or water repellent and cover and provide support for the ankles. Those persons who operate chain saws must wear foot protection constructed with cut-resistant material that will protect the employee against contact with a running chain saw. Sharp, calk-soled boots or other slip-resistant type boots may be used where the terrain and weather conditions require them. **§1910.266(d)(1)(v)**

249. Protective footwear purchased prior to July 5, 1994, must comply with ANSI Z41.1-1967, *USA Standard for Men's Safety-Toe Footwear.* **§1910.136(b)(2)**

250. Protective footwear purchased after July 5, 1994, must comply with ANSI Z41-1991, *American National Standard for Personal Protection — Protective Footwear.* **§1910.136(b)(1)**

251. **Forklift Trucks** (See Powered Industrial Trucks (Forklifts))

252. **Formaldehyde**

253. Employee exposure to formaldehyde shall be limited to 0.75 ppm as an 8-hour TWA; a 2 ppm 15-minute short-term exposure limit STEL; and an action level of 0.5 ppm. **§1910.1048(c)(1) and (2)**

254. A medical surveillance program shall be instituted for any employee whose exposure exceeds the STEL or action level. Medical removal provisions with economic, seniority, and benefits protection may supplement medical surveillance programs, where necessary. **§1910.1048(l)(1)(i) and (l)(8)(vi)**

255. Hazard warning labels are required for all forms of formaldehyde, including solutions and mixtures composed of 0.1 percent or greater of formaldehyde and materials capable of releasing the substance in concentrations of 0.1 ppm or higher. Comprehensive labels must include warnings of potential carcinogenic effects where concentrations may exceed 0.5 ppm. **§1910.1048(m)(1)(i) and (m)(3)(iii)**

256. The employer shall conduct training at the time of employees' initial assignment and annually thereafter for all employees exposed to a formaldehyde concentration of 0.1 ppm or higher. Such training is required to increase employees' awareness of formaldehyde hazards in their workplace and the control methods employed, as well as an awareness of the signs and symptoms of health effects related to formaldehyde exposure. **§1910.1048(n)(1)-(3)**

## 257. General Duty Clause

258. Section 5(a)(1) of the William Steiger Occupational Safety and Health Act of 1970 has become known as "The General Duty Clause." It is a catch all for citations if OSHA identifies unsafe conditions to which a regulation does not exist.

259. Hazardous conditions or practices not covered in an OSHA standard may be covered under Section 5(a)(1) of the *Occupational Safety and Health Act of 1970*, which states: "Each employer shall furnish to each of his employees employment and a place of employment which are free from recognized hazards that are causing or are likely to cause death or serious physical harm to his employees."

260. In practice, OSHA, court precedent, and the review commission have established that if the following elements are present, a "general duty clause" citation may be issued.

261. • The employer failed to keep the workplace free of a hazard to which employees of that employer were exposed.

262. • The hazard was recognized. (Examples might include: through your safety personnel, employees, organization, trade organization, or industry customs.)

263. • The hazard was causing or was likely to cause death or serious physical harm.

264. • There was a feasible and useful method to correct the hazard.

## 265. Grinding (See Abrasive Grinding)

## 266. Hand Tools

267. Portable electric equipment shall be handled in a manner that will not cause damage. When the cord- and plug-connected tools are relocated, they should be visually inspected before use. **§1910.334(a)(1)-(2)**

268. Each employer shall be responsible for the safe condition of tools and equipment used by employees, including tools and equipment that may be furnished by employees. **§1910.242(a)**

269. The frames of portable electrical tools and equipment, except when UL-approved, double-insulated construction, shall be properly grounded. **§1910.304(f)(5)(v)**

270. All hand tools shall be kept in safe condition. Handles of tools shall be kept tight in the tool, and wooden handles shall be free of splinters or cracks. Wedges and chisels shall be free of mushroomed heads. Wrenches shall not be used when sprung to the point that slippage occurs. **§1910.266(e)(1)(i)-(v)**

271. All non-current-carrying metal parts of portable equipment and fixed equipment — including their associated fences, housings, enclosures, and supporting structures — shall be grounded. **§1910.304(f)(7)(iii)**

## 272. Hazard Communication

273. The purpose of this standard is to ensure that the hazards of all chemicals produced or imported are evaluated, and that information concerning their hazards is transmitted to employers and employees who will be handling the chemicals. This transmittal of information is to be accomplished by means of comprehensive hazard communication programs that are to include container labeling and other forms of warning, material safety data sheets, and employee training. **§1910.1200(a)(1)**

274. Employers shall develop, implement, and maintain at each workplace a written hazard communication program that:

275. • describes how the criteria for labels and other forms of warnings, material safety data sheets, and employee information and training will be met;

276. • includes a list of the hazardous chemicals known to be present using an identity that is referenced on the appropriate material safety data sheet (the list may be compiled for the workplace as a whole or for individual work areas);

277. • includes the methods the employer will use to inform employees of the hazards of non-routine tasks (for example, the cleaning of reactor vessels); and

278. • includes hazards associated with chemicals contained in unlabeled pipes in their work areas. **§1910.1200(e)(1)**

279. Chemical manufacturers, importers, or distributors shall ensure that each container of hazardous chemicals leaving the workplace is labeled, tagged, or marked with the identity of the hazardous chemical(s), has the appropriate hazardous warnings, and contains the name and address of the manufacturer, importer, or other responsible party. **§1910.1200(f)(1)**

280. The employer shall maintain in the workplace copies of the required material safety data sheets for each hazardous chemical and shall ensure that they are readily accessible during each work shift to employees when they are in their work areas. **§1910.1200(g)(8)**

281. Employee training shall include at least:

282. • methods and observations that may be used to detect the presence or release of a hazardous chemical in the work area (such as monitoring conducted by the employer, continuous monitoring devices, visual appearance or odor of hazardous chemicals when being released);

283. • the physical and health hazards of the chemicals in the work area;

284. • the measures employees can take to protect themselves from these hazards, including specific procedures the employer has implemented to protect employees from exposure to hazardous chemicals, such as appropriate work practices, emergency procedures, and personal protective equipment to be used; and

285. • the details of the hazard communication program developed by the employer, including an explanation of the labeling system and the material safety data sheet (MSDS), and how employees can obtain and use the appropriate hazard information. **§1910.1200(h)(3)**

286. ## Hazardous Energy (See Lockout/Tagout)

287. ## Hazardous Waste Operations and Emergency Response

288. Any information concerning the chemical, physical, and toxicological properties of each substance known or expected to be present on site that is available to the employer and relevant to the duties an employee is expected to perform shall be made available to the affected employees prior to the commencement of their work activities. The employer may utilize information developed for the hazard communication standard for this purpose. **§1910.120(c)(8)**

289. Employers are required to develop an emergency response plan for employees who will be responding to potential emergencies involving hazardous substances. This includes in-plant emergencies involving those substances to which employees are expected to respond. **§1910.120(q)**

290. Training is required for all employees who work at hazardous waste cleanup sites, treatment storage and disposal (TSD) sites (Environmental Protection Agency permitted sites), and who respond to any emergencies involving hazardous substances. Training must cover the necessary information to perform these jobs safely, including information on the proper personal protective equipment and procedures to safeguard employees against hazards and effects of exposure to toxic substances. **§1910.120(e), (p)(7), and (q)(6)**

291. A safety and health program that delineates responsibilities and methods for assuring employee safety is necessary for employees engaged in hazardous waste cleanup and for TSD activities. **§1910.120(b)(1) and (p)(1)**

292. Medical surveillance (physical examination) is required for employees dealing with hazardous waste, TSD, and hazardous materials. It is used to monitor employees for adverse exposure to harmful substances. **§1910.120(f)(2)**

293. Personal protective equipment must be selected and used to protect employees from hazardous substances and physical hazards. **§1910.120(g)(3)(i)**

294. When necessary, a decontamination procedure must be used to assure that hazardous substances are removed from workers before they leave the worksite as well as from equipment that is to be taken off site. **§1910.120(k)(1)-(2) and (p)(4)**

295. An emergency response plan shall be developed and implemented to handle anticipated emergencies prior to the commencement of emergency response operations. The plan shall be in writing and be available for inspection and copying by employees, their representatives, and OSHA personnel. **§1910.120(q)(1)**

296. ## Head Protection (See Also Personal Protective Equipment)

297. Head protection equipment (helmets) shall be worn when there is a possible danger of head injuries from impact, flying or falling objects, or electrical shock and burns. **§1910.135(a)(1) and (2)**

298. Protective helmets purchased prior to July 5, 1994, must comply with ANSI Z89.1-1969, *American National Standard Safety Requirements for Industrial Head Protection.* **§1910.135(b)(2)**

299. Protective helmets purchased after July 5, 1994, must comply with ANSI Z89.1-1986, *American National Standard for Personnel Protection — Protective Headwear for Industrial Workers — Requirements.* **§1910.135(b)(1)**

300. **Hearing Protection** (See Also Personal Protective Equipment)

301. Protection against the effects of occupational noise exposure shall be provided when the sound levels exceed those shown in Table G-16 of the Safety and Health Standards. Feasible engineering and/or administrative controls shall be utilized to keep exposure below the allowable limit. **§1910.95(a) and (b)(1)**

302. When engineering or administrative controls fail to reduce the noise level to within the levels of Table G-16 of the Safety and Health Standards, personal protective equipment shall be provided and used to reduce the noise to an acceptable level. **§1910.95(b)(1)**

303. In all cases, where the sound levels equal or exceed an 8-hour TWA of 85 decibels measured on the A scale, a continuing, effective hearing conservation program shall be administered. In addition, the employer shall develop and implement a monitoring program. **§1910.95(c) and (d)(1)**

304. Exposure to impulsive or impact noise should not exceed 140 dB peak sound pressure level (see Table G-16).

Table G-16 - Permissible Noise Exposures[1]

| Duration per day, hours | Sound level dBA slow response |
|---|---|
| 8 | 90 |
| 6 | 92 |
| 4 | 95 |
| 3 | 97 |
| 2 | 100 |
| 1½ | 102 |
| 1 | 105 |
| 1/2 | 110 |
| 1/4 or less | 115 |

1. When the daily noise exposure is composed of two or more periods of noise exposure of different levels, their combined effect should be considered, rather than the individual effect of each. If the sum of the following fractions: $C_1/T_1 + C_2/T_2 + C_n/T_n$ exceeds unity, then the mixed exposure should be considered to exceed the limit value. $C_n$ indicates the total time in hours of exposure at a specified noise level, and $T_n$ indicates the total time in hours of exposure permitted at that level.

   Exposure to impulsive or impact noise should not exceed 140 dB peak sound pressure level.

**§1910.95(b)(2)**

305. Employers shall ensure that hearing protectors are worn:
306. • By an employee who is required by §1910.95(b)(1) of this section to wear personal protective equipment; and **§1910.95(i)(2)(i)**
307. • By any employee who is exposed to an 8-hour time-weighted average of 85 decibels or greater, and has not yet had a baseline audiogram established pursuant to §1910.95(g)(5)(ii); or has experienced a standard threshold shift. **§1910.95(i)(2)(ii)**
308. The employer shall make available to affected employees or their representatives copies of this standard and also shall post a copy in the workplace. **§1910.95(l)(1)**

309. **Hoists** (See Cranes, Hoists, and Derricks)

310. **Hooks** (See Chains, Cables, Ropes, and Hooks)

## 311. Housekeeping
312. All places of employment, passageways, storerooms, and service rooms shall be kept clean and orderly and in a sanitary condition. **§§1910.22(a)(1) and 1910.141(a)(3)**

313. **Ionizing Radiation** (See Radiation, Ionizing Radiation)

## 314. Ladders
315. Fixed
316. All rungs shall have a minimum diameter of 3/4 inch (1.8 centimeters) if metal, or 1 1/8 inches (2.8 centimeters) if wood. They shall be a minimum of 16 inches (40 centimeters) wide and should be spaced uniformly no more than 12 inches (30 centimeters) apart. **§1910.27(b)(1)(i)-(iii)**

317. Cages, wells, or ladder safety devices for ladders affixed to towers, water tanks or chimneys shall be provided on all ladders more than 20 feet (6 meters) long. Landing platforms shall be provided each 30 feet (9 meters) of length, except where no cage is provided, landing platforms shall be provided for every 20 feet (6 meters) of length. **§1910.27(d)(1), (2), and (5)**

318. Tops of cages on fixed ladders shall extend 42 inches (1 meter) above the top of landing, unless other acceptable protection is provided, and the bottom of the cage shall be not less than 7 feet (2.1 meters) nor more than 8 feet (2.4 meters) above the base of the ladder. **§1910.27(d)(1)(iii) and (iv)**

319. Side rails shall extend 3 1/2 feet (1 meter) above the landing. **§1910.27(d)(3)**

320. Portable
321. Stepladders shall be equipped with a metal spreader or locking device of sufficient size and strength to securely hold the front and back sections in an open position. **§§1910.25(c)(2)(i)(f) and 1910.26(a)(3)(vii)**

322. Ladders shall be inspected frequently, and those that have developed defects shall be withdrawn from service for repair or destruction and tagged or marked as "Dangerous, Do Not Use.". **§§1910.25(d)(1)(x) and 1910.26(c)(2)(vii)**

23. Non self-supporting ladders shall be erected on a sound base, with the base of the ladder a distance from the wall or upper support equal to one quarter the length of the ladder and placed to prevent slipping. **§§1910.25(d)(2)(i) and (iii) and 1910.26(c)(3)(i) and (iii)**

24. The top of a ladder used to gain access to a roof should extend at least 3 feet (0.9 meters) above the point of contact. **§1910.25(d)(2)(xv)**

25. OSHA requires portable ladders to have nonconductive side rails if used by employees who would be working where they might contact exposed energized circuit parts. **§1910.333(c)(7)**

## 26. Lead

27. The employer shall ensure that no employee is exposed to lead at concentrations greater than 50 micrograms per cubic meter (50 µg/m$^3$) of air averaged over an 8-hour period. **§1910.1025(c)(1)**

## 28. Lockout/Tagout

29. Whenever service or maintenance is performed on machines and equipment, it must be done with the machine or equipment stopped and isolated from all sources of energy. **§1910.147(a)(3)(i)**

30. The energy isolating device(s) for that machine or equipment must be locked out or tagged out in accordance with a documented procedure. Employers involved in the energy control program must be given training. **§1910.147(c)(7)**

31. Periodic inspections of the use of the procedures must be conducted at least annually to ensure the continued effectiveness of the program. The periodic inspection must include a review of the procedures with all employees who are authorized to use the procedures when lockout is used, and with all authorized and affected employees when tagout is used. **§1910.147(c)(6)**

32. Following the application of logout or tagout devices to energy isolating devices, all potentially hazardous stored or residual energy shall be relieved, disconnected, restrained, and otherwise rendered safe. **§1910.147(d)(5)(i)**

33. When outside contractors are performing servicing or maintenance within a plant or facility, each employer must coordinate with the other employers to ensure that no employees are endangered. **§1910.147(f)(2)**

34. When a group of employees are performing a servicing or maintenance activity, each employee must be afforded protection equivalent to the utilization of individual lockout or tagout. **§1910.147(f)(3)**

35. When servicing or maintenance extends over more than one shift, specific procedures shall be utilized to ensure continuity of personnel protection, including provision for the orderly transfer of lockout or tagout control. This must be done to minimize exposure to hazards from unexpected energizing, startup of the machine or equipment, or the release of stored or residual energy. **§1910.147(f)(4)**

### 336. Lunchrooms

337. Employees shall not consume food or beverages in toilet rooms or in any are exposed to a toxic material. **§1910.141(g)(2)**

338. A covered receptacle of corrosion resistant or disposable material shall be provided i lunch areas for disposal of waste food. The cover may be omitted when sanitary con ditions can be maintained without the use of a cover. **§1910.141(g)(3)**

### 339. Machine Guarding (See Also Abrasive Grinding)

340. Machine guarding shall be provided to protect employees in the machine area from hazards such as those created by point of operation, ingoing nip points, rotating parts flying chips, and sparks. The guard shall be such that it does not offer an accident haz ard in itself. **§1910.212(a)(1) and (2)**

341. The point-of-operation guarding device shall be so designed as to prevent the opera tor from having any part of his body in the danger zone during the operating cycle **§1910.212(a)(3)(ii)**

342. Special supplemental hand tools for placing and removing material shall permit han dling of material without the operator placing a hand in the danger zone **§1910.212(a)(3)(iii)**

343. Some of the machines that usually require point-of-operation guarding are guillotine cutters, shears, alligator shears, power presses, milling machines, power saws, joint ers, portable power tools, and forming rolls and calenders. **§1910.212(a)(3)(iv)**

### 344. Machinery, Fixed

345. Machines designed for a fixed location shall be securely anchored to prevent walking or moving, or designed in such a manner that they will not move during normal opera tion. **§1910.212(b)**

### 346. Markings, Placards, and Labels

347. Employers who receive shipments of hazardous materi- als that are required to be marked, placarded, or labeled in accordance with the U.S. Department of Transporta- tion Hazardous Materials Regulations must retain such warnings on the packaging and transport until the haz- ardous materials are removed. **§1910.1201(a) and (b)**

### 348. Material Hoisting Equipment (See Chains, Cables, Ropes, and Hooks; Cranes, Hoists, and Derricks)

## 349. Mechanical Power Presses

350. The employer shall provide and ensure the usage of point-of-operation guards or properly applied and adjusted point-of-operation devices to prevent entry of hands or fingers into the point of operation by reaching through, over, under, and around the guard on every operation performed on a mechanical power press. This requirement shall not apply when the point-of-operation opening is 1/4 inch (6 mm) or less. **§1910.217(c)(1) and (c)(2)(i)(a)**

351. Hand and foot operations shall be provided with guards to prevent inadvertent initiation of the press. **§1910.217(b)(4) and (5)**

352. The employer shall provide and enforce the use of safety blocks whenever dies are being adjusted or repaired in the press. Brushes, swabs, or other tools shall be provided for lubrication so that employees shall not reach into the point of operation. **§1910.217(d)(9)(iv) and (v)**

353. Presence-sensing devices may not be used to initiate the slide motion except when used in total conformance with paragraph (h), 29 CFR 1910.217, which requires certification of the control system. **§1910.217(h)**

354. Machines using full revolution clutches shall incorporate a single-stroke mechanism. **§1910.217(b)(3)(i)**

355. A main disconnect switch capable of being locked in the off position shall be provided with every power press control system. **§1910.217(b)(8)(i)**

356. To ensure safe operating conditions and to maintain a record of inspections and maintenance work, the employer shall establish a program of regular inspections of the power presses that shall include the date and serial number of the equipment, as well as the signature of the inspector. **§1910.217(e)(1)(i)**

357. All point-of-operation injuries must be reported to OSHA or the state agency within 30 days. **§1910.217(g)(1)**

## 358. Medical Services and First Aid

359. The employer shall ensure the ready availability of medical personnel for advice and consultation on matters of occupational health. **§1910.151(a)**

360. When a medical facility for treatment of injured employees is not available in proximity to the workplace, a person or persons shall be trained to render first aid. First-aid supplies shall be maintained for use by trained personnel. **§1910.151(b)**

## 361. 4,4' Methylenedianiline (MDA)

362. An employer must ensure that no employee is exposed to an airborne concentration of MDA in excess of 10 ppb as an 8-hour TWA; a 100 ppb, 15-minute STEL; an action level of 5 ppb; and that there is no dermal contact with MDA. **§1910.1050(b) and (c)**

363. Employers must determine whether employees are subject to MDA exposure above the action level, 8-hour TWA, or STEL, or dermally. **§1910.1050(e)(1)(i), (e)(2), and (e)(8)**

364. Employers must limit airborne exposures to MDA with feasible engineering and work practice controls, supplemented by the use of respirators if necessary, and must limit dermal exposure by providing appropriate personal protective clothing and equipment. Regulated areas must be established where exposure may exceed the 8-hour TWA, or dermal exposures to MDA can occur. **§1910.1050(f)(1), (g)(1), and (i)(1)**

365. Hygiene facilities to include decontamination, change, equipment, shower, and lunch areas may be required to be provided by employers where dermal or elevated levels of exposure to MDA may occur. **§1910.1050(j)**

366. Hazards of exposure to MDA must be communicated to employees via posting signs in regulated areas, labeling containers of MDA, and maintaining an MSDS for MDA, and by providing employees with an information and training program. **§1910.1050(k)**

367. Medical surveillance must be made available to employees exposed dermally to MDA for 15 or more days per year, exposed above the action level for 30 or more days per year, and in other situations where exposure to MDA may present health risks to employees. Benefits (pay, seniority) must be afforded to employees whose exposure to MDA leads to a medical determination that, based on health considerations, the employee must be removed from such exposure. **§1910.1050(m)(1) and (m)(9)(v)**

## 368. Methylene Chloride

369. PELs for methylene chloride are:

370. (1) **8-hour TWA.** The employer shall ensure that no employee is exposed to an airborne concentration in excess of 25 ppm of air as an 8-hour TWA. **§1910.1052(c)(1)**

371. (2) **STEL.** The employer shall ensure that no employee is exposed to an airborne concentration in excess of 125 ppm parts of air as determined over a sampling period of 15 minutes. **§1910.1052(c)(2)**

## 372. Multi-Employer Citation Policy

373. Employers must not create conditions that violate OSHA standards or make a workplace unsafe. On multi-employer worksites (in all industry sectors), more than one employer may be citable for a hazardous condition that violates an OSHA standard.

374. OSHA classifies employers into one or more of four categories — the creating, exposing, correcting, and controlling employers — to determine if a citation will be issued.

375. **The Creating Employer:** an employer who causes a hazardous condition that violates an OSHA standard. An employer who creates the hazard is citable even if the only employees exposed in the workplace are those who work for other employers.

376. **The Exposing Employer:** an employer whose own employees are exposed to the hazard.

377. If the exposing employer created the violation, he/she is citable for the violation as a creating employer.

378. If the violation was created by another employer, the exposing employer is citable if he/she:

379. (1) knew of the hazardous condition or failed to exercise reasonable diligence to discover the condition, and

380. (2) failed to take steps to protect his/her employees.

381. If the exposing employer has the authority to correct the hazard, he/she must do so.

382. If he/she lacks the authority to correct the hazard, he/she is citable if he/she fails to do each of the following:

383.     (1) ask the creating and/or controlling employer to correct the hazard

384.     (2) inform his/her employees of the hazard, and

385.     (3) take reasonable alternative protective measures.

386. Note: In some circumstances, the employer is citable for failing to remove his/her employees from the job to avoid the hazard.

387. **The Correcting Employer:** an employer who is responsible for correcting a hazard on the exposing employer's worksite, usually occurring while the correcting employer is installing and/or maintaining safety/health equipment. The correcting employer must exercise reasonable care in preventing and discovering violations and meet his/her obligation of correcting the hazard.

388. **The Controlling Employer:** an employer who has general supervisory authority over the worksite, including the power to correct safety and health violations or requiring others to correct them. A controlling employer must exercise reasonable care to prevent and detect violations on the site.

389. **Noise** (See Hearing Protection)

390. **Nonionizing Radiation** (See Radiation, Nonionizing Radiation (Electromagnetic Radiation))

391. **Passageways** (See Aisles and Passageways)

392. **Permit-Required Confined Spaces** (See Confined Spaces)

393. **Personal Protective Equipment (PPE)** (See Also Eye and Face Protection, Foot Protection, Head Protection, Hearing Protection, Respiratory Protection)

394. Proper personal protective equipment (PPE) — which covers the eyes, face, head and extremities, respiratory devices, and protective shields and barriers — shall be provided, used, and maintained in a sanitary and reliable condition where there is a hazard from processes or environments that may cause injury or illness to the employee. **§1910.132(a)**

395. Where employees furnish their own PPE, the employer shall be responsible to ensure its adequacy and that the equipment is properly maintained and in a sanitary condition. **§1910.132(b)**

396. The employer shall assess the workplace to determine if hazards are present, or are likely to be present, that necessitate the use of PPE (head, eye, face, foot, or hand protection). If such hazards are present, or are likely to be present, the employer shall select and have employees use the type(s) of PPE that will protect them from the hazards identified in the hazard assessment. **§1910.132(d)**

397. The employer shall provide training to each employee who is required to use PPE. Each such employee shall be trained to know at least the following:
398. • when PPE is necessary;
399. • what PPE is necessary;
400. • how to properly don, doff, adjust, and wear PPE;
401. • the limitations of the PPE; and
402. • the proper care, maintenance, useful life, and disposal of PPE. **§1910.132(f)**

## 403. Portable Power Tools (Pneumatic)

404. For portable tools, a tool retainer shall be installed on each piece of utilization equipment that, without such a retainer, may eject the tool. **§1910.243(b)(1)**

405. Hose and hose connections used for conducting compressed air shall be designed for the pressure and service to which they are subjected. **§1910.243(b)(2)**

## 406. Power Transmission Equipment Guarding

407. All belts, pulleys, sprockets and chains, flywheels, shafting and shaft projections, gears and couplings, or other rotating or reciprocating parts, or any portion thereof, within 7 feet (2.1 meters) of the floor or working platform shall be effectively guarded. **§1910.219(b)(1), (c)(2)(i), and (f)(3)**

408. All guards for inclined belts shall conform to the standards for construction of horizontal belts, and shall be arranged in such a manner that a minimum clearance of 7 feet (2.1 meters) is maintained between the belt and floor at any point outside the guard. **§1910.219(e)(3)**

409. Flywheels located so that any part is 7 feet (2.1 meters) or less above the floor or platform shall be guarded with an enclosure of sheet, perforated, or expanded metal, or woven wire. **§1910.219(b)(1)(i)**

410. Flywheels protruding through a working floor shall be entirely enclosed by a guardrail and toeboard. **§1910.219(b)(1)(iii)**

411. Where both runs of horizontal belts are 7 feet (2.1 meters) or less from the floor or working surface, the guard shall extend at least 15 inches (37.5 centimeters) above the belt or to a standard height, except that where both runs of a horizontal belt are 42 inches (1.05 meters) or less from the floor, the belt shall be fully enclosed by guards made of expanded metal, perforated or solid sheet metal, wire mesh on a frame of angle iron, or iron pipe securely fastened to the floor or to the frame of the machine. **§1910.219(e)(1)(i) and (m)(1)(i)**

412. Gears, sprocket wheels, and chains shall be enclosed, unless they are more than 7 feet (2.1 meters) above the floor or the mesh points are guarded. **§1910.219(f)(1) and (f)(3)**

413. Couplings with bolts, nuts, or set screws extending beyond the flange of the coupling shall be guarded by a safety sleeve. **§1910.219(i)(2)**

## 414. Powered Industrial Trucks (Forklifts)

415. If at any time a powered industrial truck is found to be in need of repair, defective, or in any way unsafe, the truck shall be taken out of service until it has been restored to safe operating condition. **§1910.178(p)(1)**

416. High-lift rider trucks shall be equipped with substantial overhead guards unless operating conditions do not permit. **§1910.178(e)(1)**

417. Forklift trucks shall be equipped with vertical-load, backrest extensions when the types of loads present a hazard to the operators. **§1910.178(e)(2)**

418. The brakes of trucks shall be set and wheel chocks placed under the rear wheels to prevent the movement of trucks, trailers, or railroad cars while loading or unloading. **§1910.178(m)(7)**

419. Only a trained and authorized operator shall be permitted to operate a powered industrial truck. Methods shall be devised to train operators in the safe operation of powered industrial trucks. **§1910.178(l)**

## 420. Powered Platforms for Building Maintenance

421. Powered platforms are equipment used to provide access to the exterior of a building for maintenance, consisting of a suspended power-operated working platform, a roof car, or other suspension means, and the requisite operating and control devices. **§1910.66 Appendix D**

422. All completed building maintenance equipment installations shall be inspected and tested in the field before being placed in service. A similar inspection and test shall be made following any major alteration to an existing installation. No hoist shall be subjected to a load in excess of 125 percent of its rated load. **§1910.66(g)(1)**

423. Structural supports, tie-downs, tie-in guides, anchoring devices, and any affected parts of a building included in the installation shall be designed by or under the direction of a registered, experienced professional engineer. Exterior installations shall be capable of withstanding prevailing climatic conditions. The building installation shall provide safe access to, and egress from, the equipment and sufficient space to conduct necessary maintenance. Affected parts of the building shall have the capability of sustaining all the loads imposed by the equipment. The affected parts of the building shall be designed to allow the equipment to be used without exposing employees to a hazardous condition. **§1910.66(e)(1)(i)-(v)**

424. Repairs or major maintenance of those building portions that provide primary support for the suspended equipment must not affect the capability of the building to meet the requirements of this standard. **§1910.66(e)(10)**

425. The equipment power circuit shall be an independent electrical circuit that shall remain separate from all other equipment within or on the building, other than power circuits used for hand tools that will be used in conjunction with the equipment. If the building is provided with an emergency power system, the equipment power circuit may also be connected to this system. **§1910.66(e)(11)(iii)**

426. Equipment installations shall be designed by or under the direction of a registered, experienced professional engineer. The design shall provide for a minimum live load of 250 pounds (113.6 kg) for each occupant of a suspended or supported platform. Equipment that is exposed to wind when not in service shall be designed to withstand forces generated by winds of at least 100 mph (44.7 m/s) at 30 feet (9.2 meters) above grade and when in service able to withstand forces generated by winds of at least 50 mph (22.4 m/s) at all elevations. **§1910.66(f)(1)(i)-(iv)**

427. Each suspended unit component, except suspension ropes and guardrail systems, shall be capable of supporting at least four times the maximum intended live load applied or transmitted to that component. **§1910.66(f)(5)(i)(A)**

## 428. Pressure Vessels (Boilers)

429. Boiler design, construction, and inspection is referenced in the ASME Boiler and Pressure Vessel Code, 1968 and current. **§§1910.106(b)(1)(iv)(b)(2), 1910.217(b)(12), and 1910.261(a)(4)(i), and OSHA Instruction TED 1.15, Section III: Chapter 3 (Pressure Vessel Guidelines).**

## 430. Process Safety Management of Highly Hazardous Chemicals

431. Employers shall develop a written plan of action regarding employee participation and shall consult with employees and their representatives on the conduct and development of process hazards analyses and on the development of the other elements of process safety management. **§1910.119(c)(1) and (2)**

432. The employer shall complete a compilation of written process safety information prior to conducting a process hazard analysis. **§1910.119(d)**

433. The employer shall perform a process hazard analysis appropriate to the complexity of the company's processes and shall identify, evaluate, and control the hazards involved in the process. **§1910.119(e)(1)**

434. The employer shall develop and implement written operating procedures that provide clear instructions for safely conducting activities involved in each covered process consistent with process safety information. **§1910.119(f)(1)**

435. Each employee presently involved in operating a process and each employee before being involved in operating a newly assigned process, shall be trained in an overview of the process and in the operating procedures specified in paragraph (f) of this section. **§1910.119(g)(1)**

436. The employer, when selecting a contractor, shall obtain and evaluate information regarding the contract employer's safety performance and programs. **§1910.119(h)(2)(i)**

437. The contract employer shall assure that each contract employee is trained in the work practices necessary to safely perform his/her job. **§1910.119(h)(3)(i)**

438. The employer shall perform a pre-startup safety review for new facilities and for modified facilities when the modification is significant enough to require a change in the process safety information. **§1910.119(i)(1)**

439. The employer shall establish and implement written procedures to maintain the ongoing integrity of process equipment. **§1910.119(j)(2)**

440. The employer shall establish and implement written procedures to manage changes to process chemicals, technology, equipment, and procedures, and changes to facilities that affect a covered process. **§1910.119(l)(1)**

441. The employer shall investigate each incident that resulted in, or could reasonably have resulted in, a catastrophic release of highly hazardous chemicals in the workplace. **§1910.119(m)(1)**

442. The employer shall establish and implement an emergency action plan for the entire plant in accordance with the provisions of 29 CFR 1910.38(a). **§1910.119(n)**

443. # Radiation

444. ## Ionizing Radiation

445. Employers shall be responsible for proper controls to prevent any employee from being exposed to ionizing radiation in excess of acceptable limits.

446. Except as provided below, no employer shall possess, use, or transfer sources of ionizing radiation in such a manner as to cause any individual in a restricted area to receive in any period of one calendar quarter from sources in the employer's possession or control a dose in excess of those in the following table:

| | Rems[1] per calendar quarter |
|---|---|
| Whole body: Head and trunk; active blood-forming organs; lens of eyes; or gonads | 1.25 |
| Hands and forearms; feet and ankles | 18.75 |
| Skin of whole body | 7.5 |

1. Rem is a measure of the dose of any ionizing radiation to body tissue in terms of its estimated biological effect relative to a dose of 1 roentgen (r) of x-rays (1 millirem [mrem] = 0.001 rem). The relation of the rem to other dose units depends on the biological effect under consideration and upon the conditions for irradiation.

**§1910.1096(b)(1) and (c)(1)**

447. Exceptions: An employer may permit an individual in a restricted area to receive doses to the whole body greater than those permitted so long as:

448. (1) during the calendar quarter, the dose to the whole body shall not exceed 3 rems;

449. (2) the dose to the whole body, when added to the accumulated occupational dose to the whole body, shall not exceed 5 (N-18) rems, where "N" equals the individual's age in years at his/her last birthday; and

450. (3) the employer maintains adequate past and current exposure records. **§1910.1096(b)(2)**

451. Each radiation area shall be conspicuously posted with appropriate signs and/or barriers. **§1910.1096(e)(2)**

452. Employers shall maintain records of the radiation exposure to all employees for whom personnel monitoring is required. **§1910.1096(b)(2)(iii) and (n)(1)**

453. ## Nonionizing Radiation (Electromagnetic Radiation)

454. Employers shall be responsible for proper controls to prevent any employee from being exposed to electromagnetic radiation in excess of acceptable limits. **§1910.97(a)(2)**

455. Each electromagnetic radiation area shall be conspicuously posted with appropriate signs and/or barriers. **§1910.97(a)(3)**

456. **Railings** (See Also Stairs, Fixed Industrial)

457. A standard railing shall consist of top rail, intermediate rail, and posts, and shall have a vertical height of 42 inches (1.05 meters) from upper surface to top rail and/or platform. **§1910.23(e)(1)**

458. A railing for open-sided floors, platforms, and runways shall have a toeboard wherever, beneath the open sides, persons can pass, there is moving machinery, or there is equipment with which falling materials could cause a hazard. **§1910.23(c)(1)**

459. Railings shall be of such construction that the complete structure shall be capable of withstanding a load of at least 200 pounds (90 kilograms) in any direction on any point on the top rail. **§1910.23(e)(3)(iv)**

460. A stair railing shall be of construction similar to a standard railing, but the vertical height shall be no more than 34 inches (85 centimeters) nor less than 30 inches (75 centimeters) from the upper surface of the top rail to the surface of the tread in line with the face of the riser at the forward edge of the tread. **§1910.23(e)(2)**

461. ## Recordkeeping: Recording and Reporting Requirements

462. Each employer is required to record and report work-related fatalities, illnesses, and injuries in each of his/her establishments. He/she must use an OSHA 300 Log and OSHA Form 301 Injury and Illness Report or equivalent form of all recordable injuries and illnesses for that establishment. The employer must enter each recordable event no later than seven calendar days after receiving the information. **§§1904.7 and 1904.29(b)(3)**

463. In the case of a work-related accident that is fatal to one or more employees or that results in the inpatient hospitalization of three or more employees, the employer must report orally to the nearest OSHA area office within 8 hours. He/she also may use the OSHA central telephone number: 1-800-321-OSHA. **§1904.39(a)**

464. Note: The employer must always report incidents that result in fatalities or the inpatient hospitalization of three or more employees even if he/she does not have to maintain a 300 Log.

465. The employer must keep a separate 300 Log for each establishment that is expected to be in operation for 1 year or longer. He/she may keep records on a computer as long as it can produce equivalent forms. The employer also may keep the records for an establishment at the headquarters or other central location as long as he/she can meet the time requirements of being able to log each recordable event within 7 calendar days and be able to provide copies of records to authorized government employees within 4 business hours as well as be able to provide copies to employees, former employees, or their representatives by the end of the next business day. **§§1904.29(b)(3) and (5), 1904.30, 1904.35(b)(2)(v)(A), and 1904.40(a)**

466. The 8 Steps to Recordkeeping

467. Step 1: Is your establishment required to maintain records? Generally, you are required to maintain a 300 Log if you employed more than 10 employees at any time during the last calendar year. **§§1904.1, 1904.2, and 1904.3**

468. Step 2: Was it an employee of your company who was involved? Generally, if the person injured reports directly to you then he/she is your employee. **§1904.31**

469. Step 3: Was it work-related? If the incident happened while on the clock or while performing duties for work purposes it is usually work-related. **§1904.5**

470. Step 4: Is it a new case? It usually is if the employee has not previously experienced a recorded injury or illness of that same type that affects that same part of the body. **§1904.6**

471. Step 5: Does it involve death, days away from work, restricted work or motion, medical treatment beyond first aid, loss of consciousness or a significant medical diagnosis, etc.? **§1904.7**

472. If you answered "no" to any of the first 5 steps, do not write the incident on your 300 Log. Otherwise, go on to Step 6:

473. Step 6: Define the case for the 300 Log. Fill out Form 301 or an equivalent form for each case and then enter it on the 300 Log. You must do this within 7 calendar days. **§1904.29(b)(3)**

474. Step 7: Evaluate the extent and outcome. You must keep track of all the calendar days that the employee was off of work or had work restriction due to the incident, or estimate the calendar days the employee will be restricted if an extended period of recovery is expected. **§1904.7**

475. Step 8: Complete, display, and retain the records. You must keep the 300 Log and all 301 Incident Report forms for five years following the end of the calendar year that those records covered. You also must update the 300 Log if an employee's recorded injury or illness worsens during those five years. Each employer must provide an annual summary of injuries and illnesses for each establishment on an OSHA Form 300A. The establishment's form is to be posted from February 1 following the year covered by the records and kept in place until April 30 of that year. The 300A Form must be posted in a conspicuous place where notices to employees are customarily posted. **§§1904.32 and 1904.33**

476. ## Respiratory Protection (See Also Personal Protective Equipment)

477. Respirators shall be provided by the employer when such equipment is necessary to protect the health of the employee. The employer shall provide the respirators that are applicable and suitable for the purpose intended. **§1910.134(a)(2)**

478. Where respirators are required, the employer shall establish and maintain a respiratory protective program. The program must be regularly evaluated to determine its continued effectiveness. **§1910.134(a)(2) and (c)(1)(ix)**

479. In any workplace where respirators are necessary to protect the health of the employee or whenever respirators are required by the employer, the employer shall establish and implement a written respiratory protection program with worksite-specific procedures. The program shall be updated as necessary to reflect those changes in workplace conditions that affect respirator use. §1910.134(c)(1)

480. The employer shall include in the program the following provisions of this section, as applicable:

481. • Procedures for selecting respirators for use in the workplace;

482. • Medical evaluations of employees required to use respirators;

483. • Fit testing procedures for tight-fitting respirators;

484. • Procedures for proper use of respirators in routine and reasonably foreseeable emergency situations;

485. • Procedures and schedules for cleaning, disinfecting, storing, inspecting, repairing, discarding, and otherwise maintaining respirators;

486. • Procedures to ensure adequate air quality, quantity, and flow of breathing air for atmosphere-supplying respirators;

487. • Training of employees in the respiratory hazards to which they are potentially exposed during routine and emergency situations;

488. • Training of employees in the proper use of respirators, including putting on and removing them, any limitations on their use, and their maintenance; and

489. • Procedures for regularly evaluating the effectiveness of the program.
**§1910.134(c)(1)**

490. The employer shall not permit respirators with tight-fitting facepieces to be worn by employees who have facial hair that comes between the sealing surface of the facepiece and the face or that interferes with valve function, or who have any condition that interferes with the face-to-facepiece seal or valve function. **§1910.134(g)(1)(i)(A)**

491. Respirators shall be regularly cleaned and disinfected and shall be inspected during the cleaning. Deteriorating parts shall be replaced. Respirators for emergency use shall be inspected at least once a month and after each use. When not in use, respirators shall be stored in a convenient, clean, and sanitary location. **§1910.134(h)**

492. Surveillance of work area conditions and the degree of employee exposure or stress shall be maintained. **§1910.134(g)(2)**

493. Persons should not be assigned tasks requiring the use of respirators unless it has been determined that they are physically able to perform the work and use the equipment, and their medical status should be reviewed periodically. **§1910.134(e)**

494. After inspection, cleaning, and necessary repair, respirators shall be stored to protect against dust, sunlight, heat, extreme cold, excessive moisture, or damaging chemicals. Respirators placed at stations and work areas for emergency use should be quickly accessible at all times. **§1910.134(h)(2)**

495. **Ropes** (See Chains, Cables, Ropes, and Hooks)

496. **Saws, Portable Circular** (See Also Woodworking Machinery)

497. All portable, power-driven circular saws (except those used for cutting meat) having a blade diameter greater than 2 inches (5 centimeters) shall be equipped with guards above and below the base plate or shoe. The upper guards shall cover the saw to the depth of the teeth, except for the minimum arc required to permit the base plate to be tilted for bevel cuts. The lower guard shall cover the saw to the depth of the teeth, except for the minimum arc required to allow proper retraction and contact with the work. When the tool is withdrawn from the work, the lower guard shall automatically return to the covering position. **§1910.243(a)(1)**

498. All cracked saw blades shall be removed from service. **§1910.243(a)(4)**

499. **Scaffolds**

500. All scaffolds and their supports shall be capable of supporting the load they are designed to carry with a safety factor of at least 4. **§1910.28(a)(4)**

501. All planking shall be Scaffold Grade, as recognized by grading rules for the species of wood used.

502. The maximum permissible spans for 2-inch (5 centimeters) x 9-inch (22.5 centimeters) or wider planks are shown in the following table:

| Maximum intended load | Maximum permissible span using full thickness undressed lumber | Maximum permissible span using normal thickness lumber |
|---|---|---|
| 25 lbs (11.3 kg) per sq. ft. | 10 ft. (3 meters) | 8 ft. (2.4 meters) |
| 50 lbs (22.7 kg) per sq. ft. | 8 ft. (2.4 meters) | 6 ft. (1.8 meters) |
| 75 lbs (34.0 kg) per sq. ft. | 6 ft. (1.8 meters) | Not Applicable |

503. The maximum permissible span for 1 1/4-inch (3.12 centimeters) x 9-inch (22.5 centimeters) or wider plank for full thickness is 4 feet (1.2 meters), with medium loading of 50 pounds (22.5 kilograms) per square foot. **§1910.28(a)(9)**

504. Scaffolds' planks shall extend over their end supports not less than 6 inches (15 centimeters) nor more than 18 inches (45 centimeters). **§1910.28(a)(13)**

505. Scaffold planking shall be overlapped a minimum of 12 inches (30 centimeters) or secured from movement. **§1910.28(a)(11)**

506. Guardrails not less than 2 x 4 inches or the equivalent and not less than 36 inches or more than 42 inches high, with a mid-rail, when required, of 1- x 4-inch lumber or equivalent, and toeboards, shall be installed at all open sides on all scaffolds more than 10 feet above the ground or floor. Toeboards shall be a minimum of 4 inches in height. §1910.28(b)(15)

507. Scaffolds shall be provided with a screen between the toeboard and the guardrail, extending along the entire opening, consisting of No. 18 gauge U.S. Standard Wire one-half-inch mesh or the equivalent, where persons are required to work or pass under the scaffolds. §1910.28(a)(17)

## Showers

508.

509. Employers are to provide showers for those employees who work in areas where they are exposed above the PELs or work in regulated areas so they may shower at the end of their shift. For employees working at a hazardous waste cleanup site that will be in operation for six months or more, showers are to be provided for their use at the end of their work shift. §§1910.120(n)(7) and 1910.1018(m)(2)

## Skylights

510.

511. Every skylight floor opening and hole shall be guarded by a standard skylight screen or a fixed standard railing on all exposed sides. §1910.23(a)(4)

## Spray-Finishing Operations

512.

513. In conventional dry-type spray booths, overspray dry filters or filter rolls, if installed, shall conform to the following: The spraying operations, except electrostatic spraying, must ensure an average air velocity over the open face of the booth of not less than 100 feet (30 meters) per minute. Electrostatic spraying operations may be conducted with an air velocity of not less than 60 feet (18 meters) per minute, depending on the volume of the finishing material being applied and its flammability and explosion characteristics. Visible gauges, or audible alarm or pressure activated devices, shall be installed to indicate or ensure that the required air velocity is maintained. Filter pads shall be inspected after each period of use, and clogged filter pads shall be discarded and replaced. Filter rolls shall be inspected to ensure proper replacement of filter media. §1910.107(b)(5)(i)

514. All discarded filter pads and filter rolls shall be immediately removed to a safe, well-detached location or placed in a water-filled metal container and disposed of at the close of the day's operation unless maintained completely in water. §1910.107(b)(5)(ii)

515. Spray booths shall be so installed that all portions are readily accessible for cleaning. §1910.107(b)(9)

516. A clear space of not less than 3 feet (0.9 meters) on all sides shall be kept free from storage or combustible construction. §1910.107(b)(9)

517. Space within the spray booth on the downstream and upstream sides of filters shall be protected with approved automatic sprinklers. §1910.107(b)(5)(iv)

518. There shall be no open flame or spark-producing equipment in any spraying area nor within 20 feet (6 meters) thereof, unless separated by a partition. **§1910.107(c)(2)**

519. Electrical wiring and equipment not subject to deposits of combustible residues but located in a spraying area as herein defined shall be explosion proof. **§1910.107(c)(6)**

520. All metal parts of spray booths, exhaust ducts, and piping systems conveying flammable or combustible liquids or aerated solids shall be properly electrically grounded in an effective and permanent manner. **§1910.107(c)(9)(i)**

521. The quantity of flammable or combustible liquids kept in the vicinity of spraying operations shall be the minimum required for operations, and should ordinarily not exceed a supply for 1 day or one shift. **§1910.107(e)(2)**

522. Bulk storage of portable containers of flammable or combustible liquids shall be in a separate, constructed building detached from other important buildings or cut off in a standard manner. **§1910.107(e)(2)**

523. Whenever flammable or combustible liquids are transferred from one container to another, both containers shall be effectively bonded and grounded to prevent discharge sparks of static electricity. **§1910.107(e)(9)**

524. All spraying areas shall be kept as free from the accumulation of deposits of combustible residues as practical, with cleaning conducted daily if necessary. Scrapers, spuds, or other such tools used for cleaning purposes shall be of nonspark material. **§1910.107(g)(2)**

525. Residue scrapings and debris contaminated with residue shall be immediately removed from the premises. **§1910.107(g)(3)**

526. "No smoking" signs in large letters on a contrasting color background shall be conspicuously posted in all spraying areas and paint storage rooms. **§1910.107(g)(7)**

## Stairs, Fixed Industrial (See Also Railings)

528. Every flight of stairs having four or more risers shall be provided with a standard railing on all open sides. Handrails shall be provided on at least one side of closed stairways, preferably on the right side descending. **§§1910.23(d)(1) and 1910.24(h)**

529. Stairs shall be constructed so the riser height and tread width are uniform throughout. **§1910.24(e)**

530. Fixed stairways shall have a minimum width of 22 inches (55 centimeters). **§1910.24(d)**

531. Fixed stairways shall be provided for access from one structure level to another where operations necessitate regular travel between levels, and for access to operating platforms at any equipment that requires attention routinely during operations. Fixed stairs shall also be provided where access to elevations is daily or at each shift where such work may expose employees to harmful substances, or for which purposes the carrying of tools or equipment by hand is normally required. **§1910.24(b)**

532. Spiral stairways shall not be permitted except for special limited usage and secondary access situations where it is not practical to provide a conventional stairway. **§1910.24(b)**

## 533. Storage

534. All stored materials stacked in tiers shall be stacked, blocked, interlocked, and limited in height so that they are secure against sliding or collapse. **§1910.176(b)**

535. Storage areas shall be kept free from accumulation of materials that constitute hazards from tripping, fire, explosion, or pest harborage. Vegetation control will be exercised when necessary. **§1910.176(c)**

536. Where mechanical handling equipment is used, sufficient safe clearance shall be allowed for aisles, at loading docks, through doorways, and whenever turns or passage must be made. **§1910.176(a)**

## 537. Tanks, Open-Surface

538. When you use mechanical ventilation, it must conform to ANSI Z9.1-1971, *Practices for Ventilation and Operation of Open-surface Tanks*, and NFPA 34-1966, *Standard for Dip Tanks Containing Flammable or Combustible Liquids*. **§1910.124(b)(4)**

539. When your employees work with liquids that may burn, irritate, or otherwise harm their skin, you must provide:

540. • Locker space or other storage space to prevent contamination of the employee's street clothes;

541. • An emergency shower and eye wash station close to the dipping or coating operation. In place of this equipment, you may use a water hose that is at least 4 feet (1.22 m) long and at least 3/4 of an inch (18 mm) thick with a quick-opening valve and carrying a pressure of 25 pounds per square inch (1.62 k/cm$^2$) or less; and

542. • At least one basin with a hot-water faucet for every 10 employees who work with such liquids. **§1910.124(g)**

543. Your employees must know the first-aid procedures that are appropriate to the dipping or coating hazards to which they are exposed. **§1910.124(f)**

544. ## Toeboards

545. Railings protecting floor openings, platforms, and scaffolds shall be equipped with toeboards whenever persons can pass beneath the open side, wherever there is moving machinery, or wherever there is equipment with which falling material could cause a hazard. **§1910.23(c)(1)**

546. A standard toeboard shall be at least 4 inches (10 centimeters) in height and may be of any substantial material, either solid or open, with openings not to exceed 1 inch (2.5 centimeters) in greatest dimension. **§1910.23(e)(4)**

547. ## Toilets

548. Water closets shall be provided according to the following: 1-15 persons, one facility; 16-35 persons, two facilities; 36-55 persons, three facilities; 56-80 persons, four facilities; 81-110 persons, five facilities; 111-150 persons, six facilities; over 150 persons, one for each additional 40 persons. Where toilet rooms will be occupied by no more than one person at a time and can be locked from the inside, separate rooms for each sex need not be provided. **§1910.141(c)(1)(i)**

549. Each water closet shall occupy a separate compartment with a door and walls or partitions between fixtures sufficiently high to ensure privacy. **§1910.141(c)(2)**

550. Wash basins (lavatories) shall be provided in every place of employment. **§1910.141(d)**

551. Lavatories shall have hot and cold or tepid running water; hand soap or equivalent; and hand towels, blowers, or equivalent. **§1910.141(d)(2)(ii)-(iv)**

552. The above requirements do not apply to mobile crews or normally unattended locations, as long as employees working at these locations have transportation immediately available to nearby toilet facilities. **§1910.141(c)(1)(ii)**

553. ## Tools — Hand and Power (See Hand Tools; Portable Power Tools (Pneumatic))

554. ## Water for Drinking or Washing (See Drinking Water; Showers; Toilets)

555. ## Welding

556. ### General

557. Workmen assigned to operate or maintain arc welding equipment shall be acquainted with the requirements of this section and with §1910.252(a), (b), and (c) of this part; if doing gas-shielded arc welding, also *Recommended Safe Practices for Gas-Shielded Arc Welding*, A6.1-1966, American Welding Society, which is incorporated by reference as specified in §1910.6. **§1910.254(d)(1)**

558. Arc welding cables with damaged insulation or exposed, bare conductors shall be replaced. **§1910.254(d)(9)(iii)**

559. Refer to 29 CFR 1910.252(c)(5)-(10) for special considerations when welding operations require fluxes, coverings, coatings, or alloys involving fluorine compounds, zinc, lead, beryllium, cadmium, or mercury.

560. Mechanical ventilation shall be provided when welding or cutting in a space:
561. • where there is less than 10,000 cubic feet (284 cubic meters) per welder; and
562. • where the overhead height is less than 16 feet (5 meters). **§1910.252(c)(2)(i)(A) and (B)**

563. Proper shielding and eye protection to prevent exposure of personnel to welding hazards shall be provided. **§1910.252(b)(2)(i)(B)-(D) and (ii)(F)-(H)**

564. Workers or other persons adjacent to the welding areas shall be protected from the welding rays by non-combustible or flameproof screens or shields or shall be required to wear appropriate goggles. The screens shall be so arranged that no serious restriction of ventilation exists. **§1910.252(b)(2)(iii) and (c)(1)(ii)**

565. Proper precautions (isolating welding and cutting, removing fire hazards and combustibles, and providing a fire watch) for fire prevention shall be taken in areas where welding or other "hot work" is being done. **§1910.252(a)**

## 566. Welding in Confined Spaces

567. All welding and cutting operations that are performed in confined spaces (such as a tank, boiler, or a pressure vessel) shall be adequately ventilated to prevent the accumulation of toxic materials or possible oxygen deficiency. **§1910.252(c)(4)(i)**

568. In such circumstances where it is impossible to provide such ventilation, airline respirators approved by the National Institute for Occupational Safety and Health (NIOSH) for this purpose shall be used. **§1910.252(c)(4)(ii)**

569. In areas immediately hazardous to life, airline respirators with escape air bottles or self-contained breathing equipment shall be used. The breathing equipment shall be approved by NIOSH. **§1910.252(c)(4)(iii)**

570. Where welding operations are performed in confined spaces and where welders and helpers are provided with airline respirators self-contained breathing equipment, a worker shall be stationed on the outside of such confined spaces to ensure the safety of those working within. **§§1910.252(c)(4)(iv) and 1910.146(d)(6)**

571. Oxygen shall never be used for ventilation. **§1910.252(c)(4)(v)**

## 572. Woodworking Machinery

573. All woodworking machinery — such as table saws, swing saws, radial saws, band saws, jointers, tenoning machines, boring and mortising machines, shapers, planers, lathes, sanders, veneer cutters, and other miscellaneous woodworking machinery — shall be enclosed or guarded, except that part of the blade doing the actual cutting, to protect the operator and other employees from hazards inherent to the operation. **§1910.213(c)-(r)**

574. Power control devices shall be provided on each machine to make it possible for the operator to cut off the power to the machine without leaving his/her position at the point of operation. Power controls and operating controls should be located within easy reach of the operator while at his/her regular work location, making it unnecessary for the operator to reach over the cutter to make adjustments. This does not apply to constant pressure controls used only for setup purposes. **§1910.213(b)(1) and (4)**

575. In operations where injury to the operator might result if motors were to restart after power failures, provision shall be made to prevent machines from automatically restarting upon restoration of power. **§1910.213(b)(3)**

576. Band saw blades shall be enclosed or guarded except for the working portion of the blade between the bottom of the guide rolls and the table. Band saw wheels shall be fully encased. The outside periphery of the enclosure shall be solid. The front and back shall be either solid or wire mesh or perforated metal. **§1910.213(i)(1)**

577. Circular table saws shall have a hood over the portion of the saw above the table mounted so that the hood will automatically adjust itself to the thickness of and remain in contact with the material being cut. **§1910.213(c), (d)(1), and (e)(1)**

578. Circular table saws shall have a spreader aligned with the blade, spaced no more than 1/2 inch (8 millimeters) behind the largest blade mounted in the saw. The provision of a spreader in connection with grooving, dadoing, or rabbeting is not required. **§1910.213(c)(2) and (e)(2)**

579. Rip saws shall have a spreader aligned with the blade and shall be no thinner than the blade. The provision of a spreader in connection with grooving, dadoing, or rabbeting is not required. **§1910.213(c)(2) and (e)(2)**

580. Circular table saws used for ripping shall have nonkickback fingers or dogs. Rip saws shall have nonkickback fingers or dogs. **§1910.213(c)(3) and (f)(2)**

581. Inverted swing or sliding cut-off saws shall be provided with a hood that will cover the part of the saw that protrudes above the top of the table or material being cut. **§1910.213(g)(4)**

582. Radial saws shall have an upper guard that completely encloses the upper half of the saw blade. The sides of the lower exposed portion of the blade shall be guarded by a device that will automatically adjust to the thickness of and remain in contact with the material being cut. **§1910.213(h)(1)**

583. Radial saws used for ripping shall have nonkickback fingers or dogs. **§1910.213(h)(2)**

584. Radial saws shall have an adjustable stop to prevent the forward travel of the blade beyond the position necessary to complete the cut in repetitive operations **§1910.213(h)(3)**

585. Radial saws shall be installed so that the cutting head will return to the starting position when released by the operator. **§1910.213(h)(4)**

586. Self-feed circular saws' feed rolls and blades shall be protected by a hood or guard to prevent the hand of the operator from coming into contact with the in-running rolls at any point. **§1910.213(f)(1)**

587. Swing or sliding cut-off saws shall be provided with a hood that will completely enclose the upper half of the saw. **§1910.213(g)(1)**

588. Swing or sliding cut-off saws shall be provided with limit stops to prevent the saws from extending beyond the front or back edges of the table. **§1910.213(g)(3)**

589. Swing or sliding cut-off saws shall be provided with an effective device to return the saw automatically to the back of the table when released at any point of its travel **§1910.213(g)(2)**

# Got RegLogic® ?

# Manual para Uso en Industria General

(Déle vuelta para ver la versión en inglés.)

## Índice de Materias

(Los números rojos que preceden cada párrafo y los números de las páginas en el fondo de cada página son los mismos en el español y el inglés para referencia rápida.)

Changing The Complex Into Compliance®

**Mangan Communications, Inc.**
315 West Fourth Street
Davenport, Iowa 52801
(563) 323-6245
1-800-MANCOMM
(626-2666)
Fax: (563) 323-0804
Website: http://www.mancomm.com
E-mail: safetyinfo@mancomm.com

# Índice

# Índice de Sujetos

## Subparte I - Equipo de Protección Personal

## Subparte J - Controles Ambientales Generales

## Subparte K - Ayuda Médica y Primeros Auxilios

## Subparte L - Protección contra Incendios

3

# Las Normas Más Comunes Citadas para la Industria General *

| Norma | # Citado | Descripción |
|---|---|---|
| 1910.1200 | 7129 | Comunicación de Riesgos |
| 1910.147 | 4292 | Control de Energía Peligrosa, Bloqueo/Etiquetado |
| 1910.134 | 4207 | Protección Respiratoria |
| 1910.305 | 3245 | Métodos, Componentes y Equipo de Alimentación Eléctrica y de Cableado |
| 1910.212 | 3217 | Máquinas, Requisitos Generales |
| 1910.178 | 3152 | Vehículos Industriales Motorizados |
| 1910.303 | 2361 | Diseño de Sistemas Eléctricos, Requisitos Generales |
| 1910.219 | 2263 | Aparato Mecánico de Transmisión de Energía |
| 1910.132 | 1855 | Equipo de Protección Personal, Requisitos Generales |
| 1910.1030 | 1728 | Agentes Patógenos Transportados en la Sangre |
| 1910.215 | 1566 | Maquinaria de Disco Abrasivo |
| 1910.23 | 1522 | Protección Alrededor de Aperturas y Orificios en los Pisos y Paredes |
| 1910.157 | 1416 | Extinguidores de Incendio Portátiles |
| 1910.37 | 1378 | Medios de Egreso, Generalidades |
| 1910.213 | 1290 | Requisitos de Maquinaria para Trabajo en Madera |
| 1910.217 | 1194 | Prensas Eléctricas Mecánicas |
| 1910.22 | 1150 | Superficies de Paso y de Trabajo, Requisitos Generales |
| 1910.146 | 1127 | Espacios Cerrados que Requieren un Permiso |
| 1910.95 | 1104 | Exposición al Ruido Ocupacional |
| 1910.151 | 883 | Servicios Médicos y Primeros Auxilios |
| 1910.107 | 814 | Acabado con Materiales Inflamables y Combustibles Bajo Presión |
| 1910.106 | 806 | Líquidos Inflamables y Combustibles |
| 1910.266 | 770 | Explotación Forestal de Madera de Pulpa |
| 1910.304 | 734 | Diseño y Protección Eléctricos y de Cableado |
| 1910.253 | 613 | Soldadura y Corte con Oxigeno y Gas Combustible |
| 1910.179 | 583 | Grúas de Puente y de Pórtico |
| 1910.242 | 561 | Herramientas y Equipo Eléctricos de Mano y Portátiles, Generalidades |
| 1910.133 | 556 | Protección de los Ojos y el Rostro |
| 1910.36 | 517 | Medios de Egreso, Requisitos Generales |
| 1910.141 | 506 | Sanidad |
| 1910.119 | 469 | Administración de la Seguridad del Proceso, Productos Químicos Altamente Peligrosos |
| 1910.1025 | 455 | Plomo |
| 1910.176 | 382 | Manipulación de Materiales, Generalidades |
| 1910.1000 | 369 | Contaminantes del Aire |
| 1910.184 | 330 | Eslingas |
| 1910.38 | 310 | Planes de Emergencia del Empleado y Planes de Prevención de Incendios |
| 1910.1052 | 296 | Cloruro de Metileno |
| 1910.24 | 262 | Escaleras Industriales Fijas |
| 1910.334 | 256 | Eléctrico, Uso de Equipo |
| 1910.252 | 252 | Soldadura, Recorte, y Soldadura con Soplete, Requisitos Generales |
| 1910.138 | 236 | Protección de las Manos |
| 1910.333 | 235 | Eléctrico, Selección y Uso de Prácticas de Trabajo |
| 1910.101 | 204 | Gases Comprimidos, Requisitos Generales |
| 1910.120 | 194 | Operaciones con Residuos Tóxicos y Respuesta de Emergencia |
| 1910.1001 | 180 | Amianto, Tremolita, Antofilita, y Actinolita |
| 1910.110 | 177 | Almacenamiento y Manipulación de Gas Licuado de Petróleo |
| 1910.1048 | 164 | Formaldehído |
| 1910.67 | 154 | Plataformas de Trabajo de Elevación/Rotación Montadas en Vehículos |
| 1910.243 | 141 | Hacer Guardia de Herramientas Eléctricas Portátiles |
| 1910.27 | 139 | Escaleras de Mano Fijas |
| 1910.332 | 133 | Capacitación sobre Energía Eléctrica |
| 1910.335 | 121 | Eléctrico, Protecciones para la Seguridad del Personal |
| 1910.145 | 115 | Especificaciones, Señales y Rótulos para la Prevención de Accidentes |
| 1910.180 | 114 | Grúas sobre Orugas, Locomóviles, y Montadas en Camiones |
| 1910.265 | 96 | Aserraderos |
| 1910.272 | 95 | Instalaciones de Manipulación de Cereales |
| 1910.1020 | 93 | Acceso a los Registros Médicos y de Exposición de los Empleados |
| 1910.254 | 91 | Soldadura y Corte por Arco |
| 1910.1027 | 89 | Cadmio |

# Las Normas Más Comunes Citadas para la Industria General *

| Norma | # Citado | Descripción |
|---|---|---|
| 1910.26 | 88 | Escaleras de Mano de Metal Portátiles |
| 1910.307 | 82 | Eléctrico, Emplazamientos de Riesgo (Clasificados) |
| 1910.244 | 76 | Otros Herramientas y Equipo Portátiles |
| 1910.124 | 71 | Operaciones de Inmersión y Revestimiento, Requisitos Generales |
| 1910.269 | 65 | Generación/Transmisión/Distribución de Energía Eléctrica |
| 1910.94 | 62 | Ventilación |
| 1910.136 | 62 | Protección Ocupacional para los Pies |
| 1910.255 | 55 | Soldadura de Resistencia |
| 1910.28 | 54 | Requisitos de Seguridad para Andamios |
| 1910.135 | 54 | Protección Ocupacional de la Cabeza |
| 1910.177 | 51 | Servicio de Ruedas con Llanta de una Sola Pieza y de Varias Piezas |
| 1910.25 | 48 | Escaleras de Mano de Madera Portátiles |
| 1910.1450 | 48 | Exposición Ocupacional, Productos Químicos Peligrosos en Laboratorios |
| 1910.142 | 45 | Campamentos de Trabajo Temporales |
| 1910.169 | 44 | Receptores de Aire Comprimido |
| 1910.29 | 40 | Andamios y Soportes de Escaleras de Mano Móviles de Desplazamiento Manual |
| 1910.125 | 30 | Inmersión o Revestimiento con Líquidos Inflamables o Combustibles |
| 1910.263 | 29 | Equipo de Panadería |
| 1910.39 | 28 | Planes de Prevención de Incendios |
| 1910.165 | 27 | Sistemas de Alarma de Protección contra Incendios para Empleados |
| 1910.30 | 24 | Otras Superficies de Trabajo |
| 1910.268 | 23 | Telecomunicaciones |
| 1910.1018 | 23 | Arsénico Inorgánico |
| 1910.159 | 22 | Sistemas Automáticos de Aspersión |
| 1910.1096 | 19 | Radiación Ionizante |
| 1910.261 | 17 | Fábricas de Pulpa, Papel, y Cartón |
| 1910.1047 | 12 | Óxido de Etileno |
| 1910.109 | 11 | Agentes Explosivos y de Voladura |
| 1910.126 | 11 | Requisitos Adicionales para Operaciones Especiales de Inmersión y Revestimiento |
| 1910.137 | 10 | Dispositivos de Protección Eléctricos |
| 1910.144 | 10 | Código de Color de Seguridad para Marcar Riesgos Físicos |
| 1910.156 | 10 | Brigadas Antiincendios |
| 1910.306 | 9 | Equipo e Instalaciones Eléctricas de Propósito Específico |
| 1910.68 | 8 | Elevadores para Personas |
| 1910.262 | 8 | Textiles |
| 1910.264 | 8 | Maquinaria y Operaciones de Lavandería |
| 1910.218 | 7 | Máquinas de Forjar |
| 1910.1017 | 7 | Cloruro de Vinilo |
| 1910.103 | 5 | Hidrógeno |
| 1910.102 | 4 | Acetileno |
| 1910.104 | 4 | Oxígeno |
| 1910.160 | 4 | Sistemas de Extinción Fijos, Generalidades |
| 1910.181 | 4 | Grúas de Maniobra |
| 1910.216 | 4 | Fresadoras y Calandrias en las Industrias del Caucho y del Plástico |
| 1910.422 | 4 | Buceo, Procedimientos durante el Buceo |
| 1910.430 | 4 | Equipo de Buceo, Procedimientos y Requisitos |
| 1910.20 | 3 | Acceso a los Registros Médicos y de Exposición de los Empleados |
| 1910.111 | 3 | Almacenamiento y Manipulación de Amoníaco Anhidro |
| 1910.158 | 3 | Sistemas de Tubería de Conducción y Manguera |
| 1910.421 | 3 | Buceo, Procedimientos Previos al Buceo |
| 1910.1028 | 3 | Benceno |
| 1910.66 | 2 | Plataformas Motorizadas para Mantenimiento de Edificios |
| 1910.241 | 2 | Amolado de la copa que estalla las ruedas de Tipo 11 |
| 1910.97 | 1 | Radiación No Ionizante |
| 1910.162 | 1 | Sistemas de Extinción Fijos, Agente Gaseoso |
| 1910.420 | 1 | Buceo, Manual de Práctica de Seguridad |
| 1910.424 | 1 | Buceo con Tanque |
| 1910.425 | 1 | Buceo, Buceo con Aire Suministrado desde la Superficie |
| 1910.1045 | 1 | Acrilonitrilo |
| 1910.1051 | 1 | 1,3-Butadieno |

1. # Limpieza por Lanzamiento de Material Abrasivo

2. Las boquillas de presión para la limpieza por lanzamiento de material deben venir equipados con una válvula de operación que se debe mantener abierta manualmente. Se debe proporcionar un soporte sobre el cual se puede montar la boquilla de presión cuando no esté en uso. **§1910.244(b)**

3. Los compartimientos de limpieza por lanzamiento de material deben estar ventilados de tal manera que se mantenga un flujo de aire continuo hacia el interior en todas las aperturas del compartimiento durante la operación de limpieza por lanzamiento de material abrasivo. **§1910.94(a)(3)(i)**

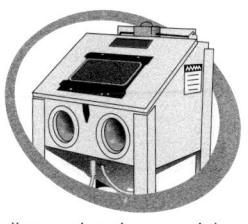

4. # Amolado con Material Abrasivo

5. La maquinaria y las herramientas eléctricas de mano con discos abrasivos se deben usar sólo en máquinas que posean protecciones de seguridad, con las siguientes excepciones:

6. • discos usados para tareas internas dentro del trabajo de amolado;

7. • discos montados, utilizados en operaciones portátiles, de 2 pulgadas (5 centímetros) de diámetro o menos; y

8. • conos, tapones, y bolas con orificio roscado de tipo 16, 17, 18, 18R, y 19 donde el trabajo ofrece protección. **§§1910.215(a)(1) y 1910.243(c)(1)(i)**

9. Las protecciones de seguridad para la maquinaria y las herramientas eléctricas de mano con discos abrasivos deben cubrir las proyecciones del extremo del vástago, la tuerca, y la brida, salvo que:

10. • las protecciones de seguridad en todas las operaciones donde el trabajo ofrece un grado de protección adecuado para el operador pueden construirse de tal manera que el extremo del vástago, la tuerca, y la brida externa se encuentren expuestos;

11. • cuando la naturaleza de la tarea sea tal que se cubra totalmente el costado del disco, las cubiertas laterales de la protección se pueden omitir; y

12. • el extremo del vástago, la tuerca, y la brida externa pueden quedar expuestos en máquinas diseñadas como sierras portátiles. **§§1910.215(a)(2) y 1910.243(c)(1)(ii)**

13. Los apoyos para el trabajo se deben ajustar de tal manera que no queden a más de 1/8 de pulgada (3.2 milímetros) del disco abrasivo. **§1910.215(a)(4)**

14. Las protecciones de seguridad del disco abrasivo para bancadas y bastidores de piso y para amoladores cilíndricos no deben exponer la periferia del disco amolador más de 65 grados sobre el plano horizontal del vástago del disco. El miembro protector será ajustable para las variaciones en el tamaño del disco de tal manera que la distancia entre la periferia del disco y la lengüeta ajustable (protección de lengüeta) o extremo del miembro periférico en la parte superior nunca superen el 1/4 de pulgada (6 milímetros). **§1910.215(b)(3), (4), y (9)**

15. Las máquinas diseñadas para estar en una ubicación fija se deben fijar de forma segura para evitar que se desplacen mientras están funcionando, o se deben diseñar de tal manera que en el transcurso de la operación normal no se muevan. **§1910.212(b)**

16. Inmediatamente antes de montar una rueda abrasiva, debe ser examinada de cerca y sonada por el usuario (prueba de anillo) para cerciorarse de que no se ha dañado en el tránsito, almacenaje, o de otra manera. La velocidad del huso de la máquina moledora debe ser comprobada antes de instalar la rueda abrasiva para asegurarse de que no excede la velocidad máxima de funcionamiento marcada en la rueda. Las ruedas se deben golpear ligeramente con una manija de un destornillador en las ruedas ligeras, o un mazo de madera en ruedas más pesadas. Si suenan agrietadas (muertas), no serán utilizadas. **§1910.215(d)(1)**

17. Las capillas conectadas con los dispositivos de escape serán utilizadas. No se pondrán en marcha ningún rueda, disco, correa, o cinta de una manera o en una dirección que cause que el polvo y las partículas de suciedad sean lanzadas a la zona de respiración del operador. **§1910.94(b)(3)(i)**

18. Las ruedas moledoras en soportes de piso, pedestales, bancos, y ruedas de uso especial de la máquina moledora y ruedas de corte abrasivo tendrán no menos que los volúmenes mínimos del extractor mostrados en la Tabla G-4 con una velocidad mínima recomendada del conducto de 4,500 pies por minuto en la rama y de 3,500 pies por minuto en el principal. **§1910.94(b)(3)(ii)**

**Tabla G-4 - Ruedas Moledoras y de Corte Abrasivo**

| Diámetro de la rueda (pulgadas) | Anchura de la rueda (pulgadas) | Volumen mínimo del extractor (pie³/minuto.) |
|---|---|---|
| Hasta 9 | 1 ½ | 220 |
| Más de 9 a 16 | 2 | 390 |
| Más de 16 hasta 19 | 3 | 500 |
| Más de 19 hasta 24 | 4 | 610 |
| Más de 24 hasta 30 | 5 | 880 |
| Más de 30 hasta 36 | 6 | 1,200 |

## 19. Acceso a los Expedientes Médicos y Registros de Exposición

20. Al entrar por primera vez un empleado en el trabajo, y después al menos una vez al año, cada patrón señalará lo siguiente a los empleados actuales cubiertos por esta sección:

21. • la existencia, la localización, y la disponibilidad de cualquier expediente cubierto por esta sección;

22. • la persona responsable de mantener y de proporcionar el acceso a los expedientes; y

23. • los derechos de acceso a éstos expedientes por parte de cada empleado. **§1910.1020(g)(1)**

24. Cada empleador debe de permitir que los empleados, los representantes que éstos hayan designado, y OSHA tengan acceso directo a los expedientes médicos y registros de exposición que están en poder del empleador. La norma limita el acceso sólo a aquellos empleados que están, han estado (incluyendo a los antiguos empleados), o estarán expuestos a sustancias tóxicas o agentes físicos nocivos. **§1910.1020(e)(2)(iii), (e)(3)(i), y (b)(1)**

25. Cada empleador debe de guardar y mantener expedientes médicos y registros de exposición precisos para cada empleado. Los registros de exposición y los análisis de datos basados en ellos se deben de guardar durante 30 años. Los expedientes médicos se deben de guardar por lo menos mientras el empleado mantenga su empleo y los 30 años posteriores. Los datos antecedentes de los registros de exposición, tales como los informes de laboratorio y hojas de trabajo se deben de guardar solamente durante 1 año. **§1910.1020(d)**

26. No es necesario guardar los registros de los empleados que hayan trabajado menos de 1 año después de emplearlo, pero el empleador debe de entregar estos registros al empleado en el momento en que deje el empleo. No es necesario guardar los registros de primeros auxilios de tratamientos realizados una sola vez durante un período específico. **§1910.1020(d)(1)(i)**

27. Las hojas de datos de la seguridad de materiales no necesitan ser conservadas por ningún período específico mientras que un expediente sobre la identidad de la sustancia, dónde fue utilizada, y cuándo fue utilizada debe conservarse durante por lo menos treinta años. **§1910.1020(d)(1)(ii)(B)**

## 28. Contaminantes del Aire

29. La sección 1910.1000 incluye más de 600 límites de exposición admisible (PEL). Para lograr el cumplimiento de esta sección, se deben determinar e implementar en primer lugar controles administrativos o de ingeniería siempre que sea posible. Si no es factible lograr el cumplimiento total de estos controles, se debe utilizar equipo protector u otras medidas de protección para que la exposición de los empleados a los contaminantes en el aire se mantenga dentro de los límites prescritos en esta sección. **§1910.1000(e)**

## 30. Receptores del Aire

31. Todos los nuevos receptores del aire instalados se deben diseñar y construir en cumplimiento de las normas del American Society of Mechanical Engineers (ASME) Boiler and Pressure Vessel Code, Section VIII, 1968. **§1910.169(a)(2)**

32. Se debe instalar un tubo de drenaje y una válvula para eliminar el aceite y agua acumulados. **§1910.169(b)(2)**

33. Se deben instalar manómetros indicadores y válvulas de seguridad, y se debe comprobar con frecuencia su buen funcionamiento. **§1910.169(b)(3)(i)-(iv)**

## 34. Pasillos y Corredores

35. En los casos en que se usen equipos de manejo mecánico, se debe dejar suficiente espacio libre seguro para los pasillos, en las plataformas de carga, al atravesar puertas, y en todos los lugares donde sea necesario pasar o girar. Los pasillos y corredores utilizados por equipos mecánicos deben mantenerse despejados y en buenas condiciones, sin obstrucciones que puedan provocar situaciones de riesgo. **§§1910.22(b)(1) y 1910.176(a)**

36. Los pasillos y corredores permanentes deben estar marcados de manera adecuada. **§§1910.22(b)(2) y 1910.176(a)**

37. Se deben colocar cubiertas y/o barandas para proteger al personal de los riesgos de pozos abiertos, tanques, barriles, zanjas, etc. **§1910.22(c)**

## 38. Amianto

39. Los empleadores deben asegurarse de que ningún empleado esté expuesto a una concentración de amianto en el aire que exceda 0.1 fibras por centímetro cúbico de aire (0.1 f/cc) como límite promedio ponderado en el tiempo (TWA) de 8 horas. **§1910.1001(c)(1)**

40. Los empleadores deben asegurarse de que ningún empleado esté expuesto a una concentración de amianto en el aire que exceda 1.0 fibras por centímetro cúbico de aire (1 f/cc) como límite promedio en un período de muestreo de 30 horas. **§1910.1001(c)(2)**

41. Para ayudar a reducir la exposición de los trabajadores a las fibras suspendidas en el aire, al manejar, mezclar, aplicar, retirar, cortar, estriar, o realizar cualquier otro trabajo con el amiento, éste debe mantenerse en un estado mojado. Este método "mojado" también se debe aplicar cuando se retiran productos que contienen amianto de bolsas, cajas, o recipientes. **§1910.1001(f)(1)(vi) y (viii)**

42. Se deben usar respiradores:

43. (1) durante la instalación o implementación de controles de prácticas factibles de ingeniería y trabajo;

44. (2) durante las actividades de mantenimiento y reparación u otras actividades en las que no sea posible aplicar controles de prácticas de trabajo e ingeniería;

45. (3) si los controles factibles de prácticas de trabajo e ingeniería fueran insuficientes para reducir la exposición de los empleados a un límite por debajo del TWA y/o de excursión; y

46. (4) en caso de emergencia. **§1910.1001(g)(1)**

47. Los propietarios de edificios construidos antes de 1980 que contengan aislamientos o materiales de superficie de sistemas térmicos aplicados con aerosol o paleta deben suponer que estos materiales contienen amianto y deben capacitar a sus trabajadores de custodia y mantenimiento para que manejen estos materiales de forma segura. Pueden comprobar si esta presunción es verdadera obteniendo muestras y analizándolas, para determinar si el edificio contiene menos de 1 por ciento de amianto. **§1910.1001(j)(1) y (2)**

48. ## Máquinas de Lijado Accionadas por Correa

49. Las máquinas de lijado accionadas por correa utilizadas para trabajos en madera deben tener protecciones en cada punto de bajada donde la correa de lijado se encuentre con una polea, y el trecho no utilizado de la correa de lijado se debe proteger para evitar el contacto accidental. **§1910.213(p)(4)**

50. ## Limpieza por Lanzamiento de Material (Vea Limpieza por Lanzamiento de Material Abrasivo)

51. ## Agentes de Voladura (Vea Explosivos y Agentes de Voladura)

52. ## Agentes Patógenos Transportados en la Sangre

53. Cada empleador cuyo(s) empleado(s) pueda(n) tener contacto con sangre u otros materiales potencialmente infecciosos a través de la piel, los ojos, membranas mucosas, o contacto parenteral como resultado de la ejecución de sus tareas profesionales debe establecer por escrito un plan de control contra la exposición diseñado para eliminar o minimizar la exposición. **§1910.1030(c)(1)(i)**

54. Se deben observar las precauciones universales destinadas a evitar el contacto con sangre u otros materiales potencialmente infecciosos. Esto incluye a los trabajadores de primeros auxilios y otros proveedores de cuidados de emergencia que puedan estar expuestos al contacto con víctimas que sangran. En circunstancias en las que sea difícil o imposible diferenciar los tipos de fluidos corporales, todos los fluidos corporales se deben considerar como potencialmente infecciosos. **§1910.1030(d)(1)**

55. Se deben aplicar controles de prácticas de ingeniería y trabajo para eliminar o minimizar la exposición de los empleados. En aquellos casos en que la exposición ocupacional se mantenga inclusive después de la implementación de controles de prácticas de ingeniería y de trabajo, también se debe usar equipo de protección personal (PPE). **§1910.1030(d)(2)(i)**

56. **Calderas** (Vea Recipientes a Presión (Calderas))

## 57. 1,3-Butadieno

58. Los limites de exposición admisible (PELs) para el 1,3-Butadieno son:

59. (1) **Límite promedio ponderado en el tiempo (TWA).** El empleador debe asegurarse de que ningún empleado esté expuesto a una concentración en el aire que supere una parte por millón de partes de aire (ppm) medidas como un TWA de 8 horas. §1910.1051(c)(1)

60. (2) **Límite de exposición a corto plazo (STEL).** El empleador debe garantizar que ningún empleado esté expuesto a una concentración en el aire que supere cinco ppm de aire según se determine en un período de muestra de 15 minutos. §1910.1051(c)(2)

61. **Cables** (Vea Cadenas, Cables, Sogas, y Ganchos)

## 62. Cadmio

63. La norma establece un límite de exposición admisible (PEL) como TWA de 8 horas de 5 microgramos por metro cúbico de aire (5 µg/m$^3$) y un nivel de acción de 2.5 microgramos por metro cúbico de aire (2.5 µg/m$^3$) para todas las actividades industriales. El PEL se aplica a todos los compuestos de cadmio y no distingue entre la exposición a los vapores o polvo de cadmio. §1910.1027(b) y (c)

64. En seis de las industrias principales que trabajan con cadmio abarcadas por la norma industria general (baterías de níquel-cadmio, refinerías de cadmio/zinc, fundición de plomo, pigmentos, enchapado, plásticos), la OSHA determinó que no era ni tecnológicamente ni económicamente factible diseñar un PEL como TWA de 5 microgramos por metro cúbico de aire (5 µg/m$^3$). Se estableció un límite de aire de control de ingeniería por separado (SECAL) de o 15 microgramos por metro cúbico de aire (15 µg/m$^3$) o 50 microgramos por metro cúbico de aire (50 µg/m$^3$) para estas industrias. §1910.1027(f)(1)(ii)

Tabla 1 - Límites de Suspensión en el Aire de Control de Ingeniería por Separado (SECALs) para los Procesos en las Industrias Seleccionadas

| Industria | Proceso | SECAL (µg/m$^3$) |
|---|---|---|
| Batería de níquel cadmio | Creación de la placa, preparación de la placa | 50 |
| | Todos los demás procesos | 15 |
| Refinación de zinc/cadmio* | Refinación, fundición, fusión, producción de óxido, planta de sinterizado | 50 |
| Fabricación de pigmento | Calcinación, compresión, molienda, mezcla | 50 |
| | Todos los demás procesos | 15 |
| Estabilizadores* | Carga, compresión, secado, mezcla de óxido de cadmio | 50 |
| Fundición de plomo* | Planta de sinterizado, alto horno, filtro, área del patio | 50 |
| Enchapado* | Enchapado mecánico | 15 |

\* Los procesos de las industrias que no se especifican en esta tabla deben lograr el límite de exposición admisible (PEL) aplicando los controles de prácticas de ingeniería y trabajo que se requieren en (f)(1)(i).

65. Los empleadores deben implementar programas de supervisión médica para todos los empleados que, durante 30 días o más al año, estén expuestos al nivel de acción o a un nivel superior. También se requiere supervisión médica para aquellos empleados que, aunque no estén expuestos actualmente al nivel de acción o a un nivel superior, hayan estado expuestos al cadmio antes de la aceptación de esta norma por parte del empleador por un período agregado de más de 60 meses. §1910.1027(l)(1)(i)

66. **Vestuarios**

67. Los empleadores deben proporcionar a los empleados una habitación en la que se puedan cambiar la ropa de trabajo por la ropa de calle al final del turno cuando trabajen en áreas reguladas o en áreas cuyo PEL sea superior al aceptable o en emplazamientos de purificación de residuos peligrosos que estén en funcionamiento durante 6 meses o más. **§§1910.141(e) y 1910.1025(i)(2)**

68. **Cadenas, Cables, Sogas, y Ganchos**

69. Los ganchos y las cadenas que se usan en grúas puente o grúas de pórtico deben pasar por una inspección visual diaria. Las inspecciones mensuales se deben realizar con un registro de certificación con fecha y firmado por el inspector, y se deben mantener en archivo para que estén disponibles en cualquier momento a solicitud del personal designado. Las cuerdas de accionamiento deben pasar una inspección mensual, y se mantendrá un registro de certificación en los archivos que estará disponible en cualquier momento a solicitud del personal designado. **§1910.179(j)(2) y (m)(1)**

70. Todas las abrazaderas de los pernos en U de las sogas de elevación de las grúas puente y de pórtico se deben instalar de forma tal que el perno en U quede en contacto con el extremo muerto (extremo corto o que no se utiliza para transportar carga) de la soga. Las abrazaderas se deben instalar de acuerdo con las recomendaciones del fabricante de la abrazadera. Todas las tuercas de las abrazaderas recientemente instaladas se deben ajustar después de 1 hora de uso. **§1910.179(h)(2)(v)**

71. Las sogas elevadoras de las grúas sobre orugas, locomóviles, y grúas montadas en camiones deben estar libres de retorceduras o enroscaduras y no deben estar arrolladas alrededor de la carga. **§1910.180(h)(2) y (3)**

72. Los ganchos de las grúas que presenten deformaciones o rajaduras que hayan sido abiertas más del 15 por ciento de la abertura normal de su entrada medida en el punto más angosto o que se hayan doblado más de 10 grados fuera de alineación se deben evaluar antes de su uso para determinar si son seguros para la carga deseada. **§1910.180(d)(3)(v)**

73. Cada día antes de ser utilizados, la eslinga y todas las cerraduras y accesorios deben ser examinados por por una persona competente señalada por el patrón para buscar daños o defectos. Las inspecciones adicionales se deben realizar durante el uso de la eslinga, cuando las condiciones de servicio lo requieran. Las eslingas dañadas o defectuosas se deben retirar del servicio inmediatamente. **§1910.184(d)**

74. Los ganchos de las eslingas de los cables metálicos que hayan sido abiertos más del 15 por ciento de la abertura normal de su entrada medida en el punto más angosto o doblados más de 10 grados desde el plano del gancho sin doblar se deben retirar inmediatamente de servicio. **§1910.184(f)(5)(vi)**

75. **Información Sobre Productos Químicos** (Vea Comunicación de Riesgos o el término químico específico)

76. **Aire Comprimido, Uso de**

77. El aire comprimido utilizado con fines de limpieza no debe exceder las 30 libras (13.5 kilogramos) por pulgada cuadrada (6.5 centímetros cuadrados) si el extremo de la boquilla está obstruido o cerrado, y sólo se debe usar con protección eficaz contra lascas y equipo protector personal. **§1910.242(b)**

78. # Cilindros de Gas Comprimido

79. En el interior de los edificios, los cilindros para soldadura de gas que contengan oxígeno combustible, generalmente se deben almacenar en una ubicación bien protegida, bien ventilada, y seca, por lo menos a 20 pies (6.1 metros) de materiales altamente combustibles como aceite o lana de madera. Los cilindros se deben almacenar en lugares asignados permanentemente con ese fin, lejos de ascensores, escaleras, o pasarelas. Los espacios de almacenamiento asignados deben estar ubicados en un lugar donde los cilindros no corran el 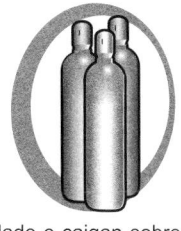 riesgo de ser volcados o dañados por elementos que pasen a su lado o caigan sobre ellos, ni estén expuestos a la manipulación por parte de personas no autorizadas. Los cilindros no se deben guardar en compartimientos sin ventilación como armarios y gabinetes. **§1910.253(b)(2)(ii)**

80. Si un cilindro está diseñado para aceptar una tapa de protección de la válvula, las tapas deben estar colocadas siempre, salvo cuando el cilindro esté en uso o esté conectado para su uso. **§1910.253(b)(2)(iv)**

81. # Gases Comprimidos

82. ## Acetileno

83. Nunca se debe generar, canalizar (salvo en colectores de cilindro aprobados), ni utilizar acetileno a una presión superior a las 15 libras por pulgada cuadrada (psi) (103 kPa de presión barométrica) o 30 psi (206 kPa de presión absoluta). Se prohíbe el uso de acetileno líquido. **§1910.253(a)(2)**

84. Los cilindros de acetileno se deben almacenar y utilizar solamente en posición vertical, con el extremo de la válvula hacia arriba. **§1910.253(b)(3)(ii)**

85. La transferencia, la manipulación, y el almacenamiento de acetileno en cilindros dentro de la planta se debe realizar de acuerdo con las instrucciones del Folleto G-1-1966 de la Asociación de Gas Comprimido (Compressed Gas Association). **§1910.102(a)**

86. ## Hidrógeno

87. Los contenedores de hidrógeno deben cumplir con una de las siguientes normas:

88. (1) estar diseñados, construidos, y probados de acuerdo con los requisitos correspondientes de la ASME *Boiler and Pressure Vessel Code, Section VIII — Unfired Pressure Vessels* — 1968; o **§1910.103(b)(1)(i)(a)(1)**

89. (2) estar diseñados, construidos, probados, y mantenidos de acuerdo con las especificaciones y disposiciones del U.S. Department of Transportation. **§1910.103(b)(1)(i)(a)(2)**

90. Los sistemas de hidrógeno se deben ubicar de tal manera que el equipo de entrega y el personal autorizado puedan tener acceso a ellos con facilidad, deben estar ubicados por sobre el nivel del suelo, y no deben estar ubicados debajo de cables eléctricos. Los sistemas no se deben ubicar cerca de tuberías de líquidos inflamables o tuberías de otros gases inflamables. **§1910.103(b)(2)(i)(a)-(d)**

91. Los contenedores instalados de forma permanente deben contar con soportes sólidos no combustibles sobre bases firmes no combustibles. **§1910.103(b)(1)(i)(b)**

92. ## Óxido Nitroso

93. Los sistemas de tuberías para la transferencia y distribución de óxido nitroso dentro de la planta deben estar diseñados, instalados, mantenidos, y operados de acuerdo con las especificaciones del Folleto G-8.1-1964 de la Asociación de Gas Comprimido (Compressed Gas Association). **§1910.105**

94. Oxígeno

95. Los cilindros de oxígeno almacenados deben estar separados de los cilindros de gas combustible o materiales combustibles (especialmente aceite o grasa), por una distancia mínima de 20 pies (6 metros) o por una barrera no combustible de por lo menos 5 pies (1.5 metros) de altura con un grado de resistencia al fuego de media hora. **§1910.253(b)(4)(iii)**

## 96. Espacios Cerrados

97. El empleador debe evaluar el lugar de trabajo para determinar si existen espacios cerrados que requieran permisos para entrar en ellos. **§1910.146(c)(1)**

98. El espacio confinado significa un espacio que:
99. • es bastante grande para que se pueda entrar y realizar el trabajo;
100. • tiene acceso limitado o restringido;
101. • no está diseñado para la ocupación continua por parte del empleado; y
102. • y contiene un peligro. **§1910.146(b)**

103. Si existen espacios cerrados para los que es necesario contar con un permiso, se debe informar a los empleados expuestos sobre la existencia, ubicación, y riesgos del espacio que necesita permiso de entrada mediante medios positivos como, por ejemplo, letreros, o debe haber un medio igualmente efectivo para comunicar los peligros de estos espacios. **§1910.146(c)(2)**

104. Si el empleador decide que los empleados no deben ingresar a los espacios que necesitan permiso, debe tomar medidas efectivas para evitar que ingresen a dichos espacios y debe cumplir con lo establecido en los párrafos (c)(1) y (c)(2) mencionados anteriormente, y los párrafos (c)(6) y (c)(8) mencionados a continuación. **§1910.146(c)(3)**

105. Cuando existan cambios en el uso o la configuración de un espacio cerrado cuyo acceso no está permitido que puedan aumentar los peligros para las personas que ingresan a él, el empleador debe reevaluar dicho espacio y, de ser necesario, reclasificarlo como un espacio cerrado para el que es necesario contar con un permiso. **§1910.146(c)(6)**

106. Cuando un empleador (empleador huésped) acuerda que los empleados de otro empleador (contratista) realicen tareas que impliquen el ingreso a un espacio que necesita permiso, el empleador huésped debe:

107. • informar al contratista que el lugar de trabajo contiene espacios para los que es necesario contar con un permiso y que el ingreso a dicho espacio se permitirá sólo mediante el cumplimiento de un programa de espacios con permiso que satisfaga los requisitos de esta sección;

108. • dar parte al contratista de los elementos, incluyendo los peligros identificados y la experiencia del empleador huésped con respecto al espacio, que hacen que el espacio en cuestión sea un espacio que necesita permiso;

109. • dar cuenta al contratista de cualquier precaución o procedimiento que el empleador huésped haya implementado para la protección de los empleados en o cerca de los espacios que necesitan permiso donde el personal del contratista estará desarrollando tareas;

110. • desarrollar e implementar procedimientos para coordinar las operaciones de acceso con el contratista, cuando haya personal del empleador huésped y personal del contratista trabajando en o cerca de los espacios que necesitan permiso, de modo que los empleados de uno de los empleadores no pongan en peligro a los empleados de cualquier otro empleador; y

111. • entrevistar al contratista cuando finalicen las operaciones de acceso con respecto al programa aplicado de espacios con necesidad de permiso y con respecto a cualquier peligro enfrentado o creado en los espacios con permiso durante las operaciones de acceso. **§1910.146(c)(8) y (d)(11)**

112. Si se requiere la entrada a un espacio cerrado, el empleador debe desarrollar e implementar un programa de permisos por escrito. El programa escrito debe estar disponible para su inspección por parte de los empleados y sus representantes autorizados. **§1910.146(c)(4)**

113. Antes de autorizar el ingreso, el empleador debe desarrollar e implementar los medios, procedimientos, y las prácticas necesarias para que las operaciones de ingreso a los espacios permitidos sean seguras, incluyendo, sin limitarse a, lo siguiente:

114. • especificar condiciones de ingreso aceptables;

115. • brindar a cada una de las personas con acceso autorizado o a su representante autorizado la oportunidad de observar cualquier control o prueba que se lleve a cabo en los espacios que necesitan permiso;

116. • aislar el espacio que necesita permiso;

117. • purgar, inertizar, vaciar, o ventilar el espacio con permiso según sea necesario para eliminar o controlar los peligros atmosféricos;

118. • proporcionar barreras para peatones y vehículos o barreras de otro tipo según sea necesario para proteger a las personas que ingresan de los peligros externos; y

119. • verificar que las condiciones del espacio con permiso sean aceptables para el ingreso al mismo durante el ingreso autorizado. **§1910.146(d)(3) y (e)(1)**

120. El empleador debe proporcionar capacitación de modo que todos los empleados cuyo trabajo esté regulado por esta sección adquieran la comprensión, el conocimiento, y las aptitudes necesarias para el cumplimiento seguro de las tareas asignadas conforme a esta sección. **§1910.146(g)(1)**

121. El empleador debe garantizar que cada miembro del servicio de rescate cuente con, y esté capacitado para utilizar de forma apropiada, el equipo de protección personal y el equipo de rescate que sea necesario para realizar rescates en los espacios con permiso. **§1910.146(k)(2)**

## 122. Grúas, Mecanismos de Elevación, y Grúas de Maniobra
**(Vea También Cadenas, Cables, Sogas, y Ganchos)**

123. Todos los mecanismos de operación funcionales, sistemas de aire e hidráulicos, cadenas, sogas, eslingas, ganchos, y otros equipos de elevación deben pasar diariamente por una inspección visual (inspecciones frecuentes). **§§1910.179(j)(2), 1910.180(d)(3), y 1910.184(d)**

124. La inspección completa de la grúa se debe llevar a cabo a intervalos de 1 mes a 12 meses (inspecciones periódicas) según la actividad, rigurosidad del servicio, y condiciones ambientales. La inspección debe incluir las siguientes áreas: piezas o partes deformadas, rajadas, corroídas, gastadas, o sueltas; sistema de frenos; indicadores de límite (viento, carga); planta de alimentación; y sistemas eléctricos. **§§1910.179(j)(3), 1910.180(d)(4), y 1910.181(d)(3)**

125. Las condiciones inseguras detectadas por los requisitos de la inspección se deben corregir antes de reiniciar la operación, y la grúa no se debe operar hasta que se hayan reinstalado todas las protecciones. **§§1910.179(l)(3), 1910.180(f), y 1910.181(f)(3)**

126. Las grúas de puente deben tener topes colocados en el límite del recorrido de la carretilla. Se deben proporcionar topes del puente y de la carretilla o dispositivos automáticos similares. Las carretillas de puente deben contar con vigas de barrido. **§1910.179(e)(1)-(4)**

127. La carga máxima admisible de la grúa debe estar claramente indicada en ambos lados de la grúa, y si la grúa cuenta con más de una unidad de elevación, cada mecanismo de elevación debe tener su carga máxima admisible indicada en su(s) bloque(s) de carga, y esta indicación se debe poder leer con claridad desde el suelo o piso. **§1910.179(b)(5))**

128. Las unidades de controles colgantes se deben señalizar claramente para indicar sus funciones. **§1910.179(g)(1)(v)**

129. No se debe llevar a cabo ninguna operación de elevación, descenso, o desplazamiento mientras haya un empleado sobre la carga o el gancho. **§§1910.179(n)(3)(v), 1910.180(h)(3)(v), y 1910.181(i)(3)(v)**

130.

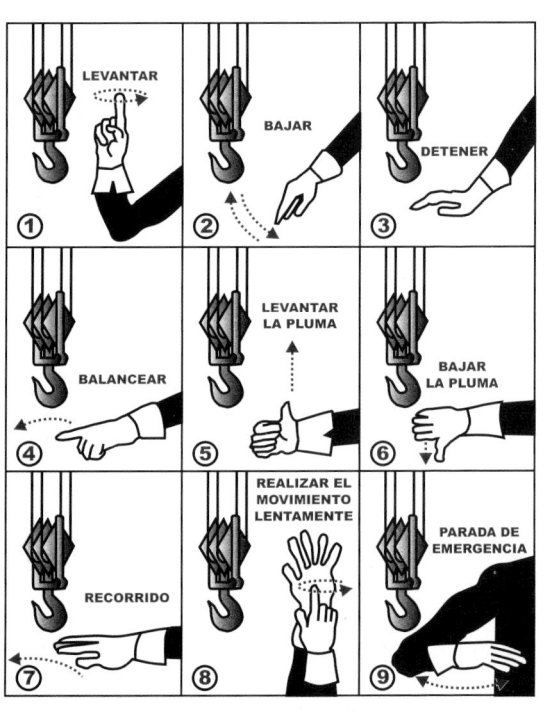

**SEÑALES MANUALES RECOMENDADAS PARA EL CONTROL DE LAS OPERACIONES CON GRUA PLACA C-11**

Origen: *California OSHA Construction Safety Orders*, §1938 Appendix C Helpful Construction Methods

131.

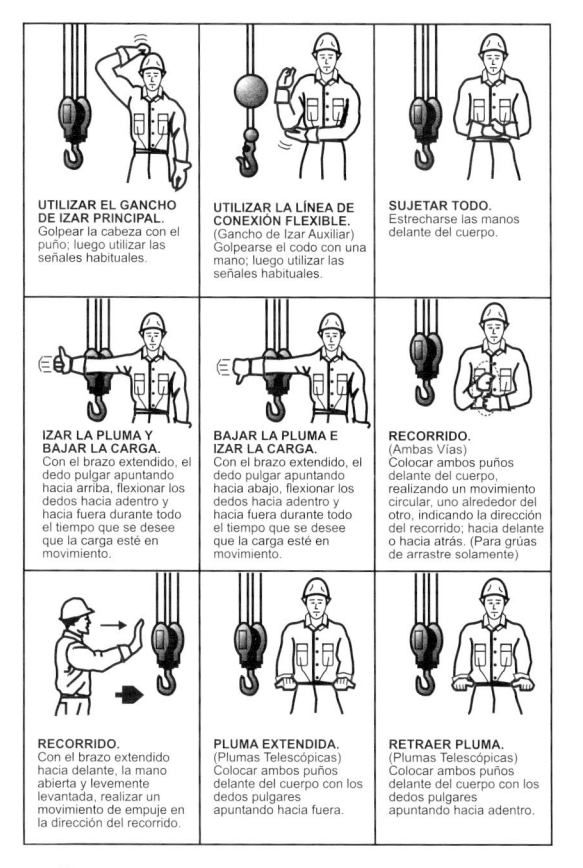

| | | |
|---|---|---|
| **UTILIZAR EL GANCHO DE IZAR PRINCIPAL.** Golpear la cabeza con el puño; luego utilizar las señales habituales. | **UTILIZAR LA LÍNEA DE CONEXIÓN FLEXIBLE.** (Gancho de Izar Auxiliar) Golpearse el codo con una mano; luego utilizar las señales habituales. | **SUJETAR TODO.** Estrecharse las manos delante del cuerpo. |
| **IZAR LA PLUMA Y BAJAR LA CARGA.** Con el brazo extendido, el dedo pulgar apuntando hacia arriba, flexionar los dedos hacia adentro y hacia fuera durante todo el tiempo que se desee que la carga esté en movimiento. | **BAJAR LA PLUMA E IZAR LA CARGA.** Con el brazo extendido, el dedo pulgar apuntando hacia abajo, flexionar los dedos hacia adentro y hacia fuera durante todo el tiempo que se desee que la carga esté en movimiento. | **RECORRIDO.** (Ambas Vías) Colocar ambos puños delante del cuerpo, realizando un movimiento circular, uno alrededor del otro, indicando la dirección del recorrido; hacia delante o hacia atrás. (Para grúas de arrastre solamente) |
| **RECORRIDO.** Con el brazo extendido hacia delante, la mano abierta y levemente levantada, realizar un movimiento de empuje en la dirección del recorrido. | **PLUMA EXTENDIDA.** (Plumas Telescópicas) Colocar ambos puños delante del cuerpo con los dedos pulgares apuntando hacia fuera. | **RETRAER PLUMA.** (Plumas Telescópicas) Colocar ambos puños delante del cuerpo con los dedos pulgares apuntando hacia adentro. |

## SEÑALES MANUALES RECOMENDADAS PARA EL CONTROL DE LAS OPERACIONES CON GRUA PLACA C-11-a

Origen: *California OSHA Construction Safety Orders*, §1938 Appendix C Helpful Construction Methods

132.

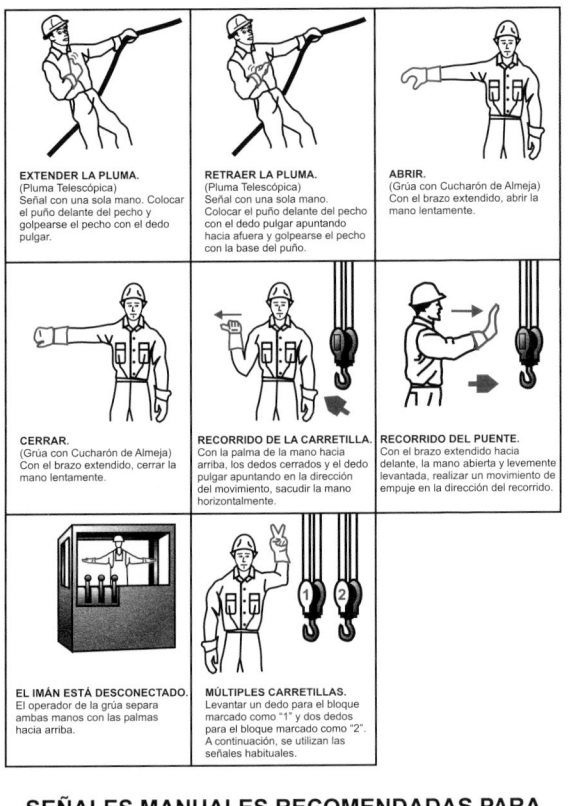

**EXTENDER LA PLUMA.**
(Pluma Telescópica)
Señal con una sola mano. Colocar el puño delante del pecho y golpearse el pecho con el dedo pulgar.

**RETRAER LA PLUMA.**
(Pluma Telescópica)
Señal con una sola mano. Colocar el puño delante del pecho con el dedo pulgar apuntando hacia afuera y golpearse el pecho con la base del puño.

**ABRIR.**
(Grúa con Cucharón de Almeja)
Con el brazo extendido, abrir la mano lentamente.

**CERRAR.**
(Grúa con Cucharón de Almeja)
Con el brazo extendido, cerrar la mano lentamente.

**RECORRIDO DE LA CARRETILLA.**
Con la palma de la mano hacia arriba, los dedos cerrados y el dedo pulgar apuntando en la dirección del movimiento, sacudir la mano horizontalmente.

**RECORRIDO DEL PUENTE.**
Con el brazo extendido hacia delante, la mano abierta y levemente levantada, realizar un movimiento de empuje en la dirección del recorrido.

**EL IMÁN ESTÁ DESCONECTADO.**
El operador de la grúa separa ambas manos con las palmas hacia arriba.

**MÚLTIPLES CARRETILLAS.**
Levantar un dedo para el bloque marcado como "1" y dos dedos para el bloque marcado como "2". A continuación, se utilizan las señales habituales.

### SEÑALES MANUALES RECOMENDADAS PARA EL CONTROL DE LAS OPERACIONES CON GRUA PLACA C-11-b

Origen: *California OSHA Construction Safety Orders*, §1938 Appendix C Helpful Construction Methods

133. **Grúas de Maniobra** (Vea Grúas, Mecanismos de Elevación, y Grúas de Maniobra)

134. ## Tanques de Inmersión con Líquidos Inflamables o Combustibles

135. Un tanque de inmersión es un tanque que contiene un líquido, con excepción de agua. Se aplica cuando se utiliza el líquido en el tanque o su vapor para limpiar un objeto, cubrir un objeto, alterar la superficie de un objeto, o cambiar el carácter de un objeto. Esta regla también se aplica al drenaje o al secado de un objeto que se ha sumergido o que se ha cubierto. §1910.123(a)

136. Los tanques de inmersión con una capacidad de más de 150 galones (570 litros), o de 10 pies cuadrados (0.9 metros cuadrados) de área de superficie líquida, deben estar equipados con una tubería de desagüe bien ocluida que se dirija a una ubicación segura fuera del edificio. §1910.125(b)(1)

137. No debe haber llamas, dispositivos que generen chispas, o superficies calientes cuya temperatura sea suficiente como para encender los vapores en cualquier área de vapores inflamables. §1910.125(e)(1)(ii)

138. Las áreas cercanas a los tanques de inmersión se deben mantener libres de combustible depositado, dentro de los límites de lo práctico, y se deben mantener totalmente libres de escombros combustibles. §1910.125(e)(4)(i)

139. Todos los tanques de inmersión cuya capacidad supere los 150 galones (570 litros) de líquido inflamable o que posean un área de superficie líquida que exceda los 4 pies cuadrados (0.36 metros) deben estar protegidos con por lo menos una de las siguientes instalaciones para extinción automática de incendios: sistema de aspersión de agua, sistema de espuma, sistema de dióxido de carbono, sistema de productos químicos secos, o tapa automática del tanque de inmersión. §1910.125(f)

140. Esta disposición se aplica a los tanques de endurecimiento y templado con un área de superficie líquida de 25 pies cuadrados (2.25 metros cuadrados) o mayor o una capacidad de 500 galones (1,900 litros) o más. §1910.125(f)

141. ## Tablas para Plataformas Elevadas

142. Las tablas para plataformas elevadas deben ser lo suficientemente sólidas como para soportar la carga impuesta sobre ellas. §1910.30(a)(1)

143. Las tablas para plataformas portátiles deben estar fijadas o equipadas con dispositivos que eviten el movimiento mientras están en uso. §1910.30(a)(2)

144. ## Agua Potable

145. Se debe suministrar agua potable en todos los lugares de trabajo. §1910.141(b)(1)(i)

146. Los bebederos portátiles de agua potable se deben diseñar, construir, y mantener de tal manera que se garanticen las condiciones sanitarias, se deben poder cerrar y tener grifo. §1910.141(b)(1)(iii)

147. Se prohíbe el uso de recipientes abiertos como barriles, baldes, o tanques para agua potable de los cuales el agua se deba sacar con cucharón o verter, tengan o no una tapa. §1910.141(b)(1)(v)

148. Se prohíbe el uso de una taza común para beber u otros utensilios comunes (es decir, los vasos, las cucharas, los cuchillos, etc.). §1910.141(b)(1)(vi)

149. **Equipo Eléctrico**

150. El equipo eléctrico debe estar libre de los peligros reconocidos que puedan provocar la muerte de o lesiones físicas graves a los empleados. **§1910.303(b)(1)**

151. Todo el equipo eléctrico, incluyendo los componentes del sistema eléctrico del edificio y las herramientas que funcionan con electricidad, se debe probar y aceptar mediante una prueba de laboratorio reconocido por OSHA. **§1910.303(b)(2)**

152. Cables Flexibles (Prolongadores o Alargaderas)

153. Los cables flexibles se deben proteger contra los daños accidentales. **§1910.305(a)(2)(iii)(G)**

154. A menos que se permita específicamente, los cables flexibles no se pueden utilizar en reemplazo del cableado fijo de una estructura; en el lugar donde se conectan a las superficies en construcción; cuando están ocultos detrás de paredes, cielorrasos, o pisos; cuando atraviesan agujeros en las paredes, cielorrasos, o pisos; o cuando atraviesan puertas, ventanas, o aberturas similares. **§1910.305(g)(1)(iii)**

155. Los cables flexibles deben estar conectados a dispositivos y accesorios de tal modo que estén protegidos contra los tirones, para evitar que la tensión se transmita de forma directa a las juntas o los tornillos de sujeción. **§1910.305(g)(2)(iii)**

156. Puesta a Tierra/Conexión a Tierra

157. Para un sistema conectado a tierra, se debe utilizar un conductor de electrodos de puesta a tierra para conectar tanto el conductor de puesta a tierra del equipo como el conductor del circuito conectado a tierra con el electrodo de puesta a tierra. Tanto el conductor de puesta a tierra de equipos como el conductor del electrodo de puesta a tierra se deben conectar al conductor de circuitos conectados a tierra en el lado de suministro de los medios de desconexión del servicio o en el lado de suministro de los medios de desconexión del sistema o los dispositivos de sobrecorriente si el sistema está derivado por separado. **§1910.304(f)(3)(i)**

158. Para un sistema con suministro subterráneo, el conductor de puesta a tierra del equipo debe estar conectado al conductor de electrodos de puesta a tierra en el equipo de servicio. **§1910.304(f)(3)(ii)**

159. La conexión a tierra desde los circuitos, el equipo, y los compartimientos debe ser permanente y continua. **§1910.304(f)(4)**

160. Cualquier equipo conectado por cable y enchufe que puede energizarse debe ser puesto a tierra o el equipo se debe señalar de una manera marcada para indicar que la herramienta tiene doble aislamiento. **§1910.304(f)(5)(v)**

161. Los empleados que trabajan en áreas donde hay potenciales peligros eléctricos deben utilizar el equipo protector de electricidad que es apropiado para las partes específicas del cuerpo que necesitan protección y para el trabajo que se realizará. **§1910.335(a)(1)(i)**

162. Las técnicas siguientes de advertencia serán utilizadas para advertir y para proteger a los empleados de los peligros que podrían causar lesiones debidas a la descarga eléctrica, a las quemaduras, o al fallo de las piezas eléctricas del equipo:

163. • Señales de seguridad, símbolos de seguridad, o las etiquetas de prevención de accidentes serán utilizados cuando sea necesario para advertir a los empleados sobre los peligros eléctricos que pueden ponerlos en peligro. **§1910.335(b)(1)**

164. • Las barricadas serán utilizadas conjuntamente con señales de seguridad donde sea necesario para prevenir o limitar el acceso del empleado a las áreas de trabajo que exponen a los empleados a los conductores o a las piezas energizadas sin aislamiento del circuito. Las barricadas conductoras no serán utilizadas donde puedan causar un peligro de contacto eléctrico. **§1910.335(b)(2)**

165. • Si las señales y las barricadas no proporcionan suficientes advertencia y protección con respecto a los peligros eléctricos, se pondrá un asistente para advertir y proteger a los empleados. **§1910.335(b)(3)**

## 166. Protecciones

167. El equipo eléctrico debe estar libre de los peligros reconocidos que puedan provocar la muerte de o lesiones físicas graves a los empleados. **§1910.303(b)(1)**

## 168. Identificación

169. Cada medio de desconexión debe estar marcado de forma legible para indicar su propósito, a menos que esté ubicado y dispuesto de tal modo que su propósito sea evidente. **§1910.303(f)**

## 170. Especificaciones y Rótulos

171. El equipo especificado o rotulado se debe instalar o utilizar de acuerdo con las instrucciones que se incluyen en las especificaciones o rótulos. **§1910.303(b)(2)**

## 172. Aberturas

173. Las aberturas no utilizadas de los armarios, cajas, y accesorios se deben cerrar de forma eficaz. **§1910.305(b)(1)**

## 174. Prácticas Laborales Relacionadas con la Seguridad

175. Se deben aplicar prácticas laborales relacionadas con la seguridad para evitar choques eléctricos u otras lesiones emergentes de contactos eléctricos directos o indirectos que se produzcan cuando el trabajo se realice cerca de o en equipos o circuitos que estén o que puedan estar cargados de electricidad. **§1910.333(a)**

176. Las prácticas laborales relacionadas con la seguridad en el trabajo con electricidad abarcan tanto a las personas calificadas (las que han sido capacitadas para evitar los riesgos eléctricos al trabajar en o cerca de áreas expuestas cargadas de electricidad) y personas no calificadas (las que hayan recibido poca o ninguna capacitación de este tipo). **§1910.331(a)**

177. La protección de destello del arco de soldar se requiere para el trabajo energizado según lo referido a NFPA 70E — 2004.

178. Debe haber procedimientos por escrito de bloqueo y/o etiquetado (Puede ser una copia de §1910.333(b)(2)). **§1910.333(b)(2)(i)**

179. El propietario u operador de las líneas eléctricas aéreas debe desactivarlas y conectarlas a tierra, o debe proporcionar otras medidas de protección antes de comenzar a realizar los trabajos. Las medidas de protección como, por ejemplo, proteger o aislar las líneas, se deben diseñar de tal manera que se evite que los empleados entren en contacto con las líneas. **§1910.333(c)(3)**

180. Los empleados no calificados y el equipo mecánico deben estar ubicados a una distancia de por lo menos 10 pies (3 metros) de las líneas eléctricas aéreas. Si el voltaje supera los 50,000 voltios (50 kV), el espacio libre debajo de los cables debe aumentar 4 pulgadas (10 centímetros) por cada 10,000 voltios (10 kV) adicionales. **§1910.333(c)(3)(i) y (iii)**

181. OSHA requiere que las escaleras de mano portátiles estén equipadas con barandas laterales aislantes si se utilizan en lugares de trabajo donde el trabajador pueda entrar en contacto con áreas de circuitos expuestos cargados con electricidad. **§1910.333(c)(7)**

182. Empalmes

183. Los conductores deben estar empalmados o unidos con dispositivos identificados para tal uso o mediante soldadura, con aleaciones o metales fusionables. Todos los empalmes, juntas, y extremos libres de los conductores deben estar recubiertos con un aislamiento que sea equivalente al del conductor o con un dispositivo aislante que sea adecuado para tal fin. **§1910.303(c)**

184. ## Planes de Acción de Emergencia

185. Siempre que una determinada norma de OSHA así lo requiera, se debe preparar por escrito un plan de acción de emergencia para garantizar la seguridad de los empleados en caso de incendio o cualquier otra emergencia, y debe ser revisado por los empleados afectados. El plan debe incluir los siguientes elementos: procedimientos y rutas de escape, operaciones críticas de planta, recuento de los empleados después de una evacuación de emergencia, rescate y otras tareas médicas, medios para informar acerca de emergencias, y personas con las que hay que ponerse en contacto para obtener información y aclaraciones. **§1910.38(a)-(c)**

186. ## Respuesta de Emergencia (Vea Operaciones con Residuos Tóxicos y Respuesta de Emergencia)

187. ## Ergonomía (Vea También Cláusula General de Obligaciones)

188. Un peligro ergonómico puede ser causado o agravado por movimientos repetitivos, esfuerzos violentos, vibraciones, posicionamiento constante o indebido, o compresión mecánica de la mano, muñeca, brazo, espalda, cuello, hombro, y pierna durante períodos prolongados o causados por otros esfuerzos ergonómicos.

189. ## Salidas

190. Todos los edificios diseñados para ser ocupados por seres humanos deben incluir suficientes salidas como para permitir el escape inmediato de los ocupantes en caso de emergencia. **§1910.36(b)(1)**

191. En las áreas donde existan factores de riesgo, o donde los empleados puedan correr peligro por el bloqueo de cualquier medio de salida debido a fuego o humo, debe haber por lo menos 2 medios de salida bien separados entre sí. **§1910.36(b)(1)**

192. Las salidas y la forma de acercarse a y desplazarse desde las salidas se deben mantener en condiciones adecuadas de modo que no estén obstruidas y que se pueda tener acceso a las mismas en todo momento. **§1910.37(a)(3)**

193. Cada una de las salidas debe conducir directamente al exterior o a una calle, pasarela, zona de refugio, vía pública, o espacio abierto con acceso al exterior. **§1910.36(c)(1)**

194. Las puertas de salida por las que deban transitar más de 50 personas, o las que estén ubicadas en zonas de alto riesgo, se deben abrir en el sentido del recorrido de salida. **§1910.36(e)**

195. Las salidas deben estar indicadas por carteles de salida perfectamente visibles y bien iluminados. Los carteles de salida deben tener colores distintivos y que contrasten con el entorno circundante. La palabra "SALIDA" debe estar escrita en letras legibles, de no menos de 6 pulgadas (15 centímetros) de alto. **§1910.37(b)(1), (2), y (7)**

196. Cualquier puerta, corredor, o escalera que no sea una salida ni una vía de acceso a una salida, y que esté ubicada o dispuesta de tal forma que se pueda confundir con una salida, debe estar identificada con un cartel que diga "No es una salida" o una expresión similar. **§1910.37(b)(5)**

## 197. Explosivos y Agentes de Voladura

198. Todos los explosivos se deben guardar en depósitos aprobados. **§1910.109(c)(1)(i)**

199. Los paquetes de explosivos almacenados se deben colocar sobre una superficie plana con la parte superior hacia arriba. La pólvora negra, si se almacena en depósitos junto con otros explosivos, se debe colocar por separado. **§1910.109(c)(5)(i)**

200. Los vehículos utilizados para almacenar paquetes de explosivos o agentes de voladura deben mantener carteles visibles del Department of Transportation hasta que no quede ningún explosivo o agente de voladura en el vehículo. **§1910.1201**

201. No se permite fumar, usar fósforos (cerillas), encender fuego, usar dispositivos que generen chispas, y armas de fuego (salvo armas de fuego que porten los guardias) dentro de o a una distancia de 50 pies (15 metros) de los depósitos de los explosivos. La zona ubicada alrededor del depósito se debe mantener libre de materiales combustibles en un radio que abarque por lo menos 25 pies (7.5 metros). No se deben almacenar materiales combustibles a una distancia de 50 pies (15 metros) de los depósitos de explosivos. **§1910.109(c)(5)(vii)**

202. La fabricación de explosivos y elementos de pirotecnia debe cumplir con los requisitos de la norma sobre Administración de Seguridad de Procesos de OSHA (OSHA's Process Safety Management standard) (§1910.119). **§1910.109(k)(2) y (3)**

## 203. Prolongadores o Alargaderas (Vea Equipo Eléctrico, Cables Flexibles (Prolongadores o Alargaderas))

## 204. Protección de los Ojos y el Rostro (Vea También Equipo de Protección Personal)

205. Cada uno de los empleados afectados debe usar una protección adecuada para los ojos o el rostro al exponerse a riesgos para la vista o el rostro que provengan de partículas voladoras, metal fundido, productos químicos líquidos, líquidos ácidos o cáusticos, gases o vapores químicos, o radiación luminosa potencialmente nociva. **§1910.133(a)(1)**

206. Los dispositivos de protección para los ojos y el rostro deben cumplir con ANSI Z87.1-1989, *American National Standard Practice for Occupational and Educational Eye and Face Protection*. **§1910.133(b)(1) y (2)**

207. El patrón se asegurará de que cada empleado afectado use las lentes de prescripción mientras que esté involucrado en las operaciones que implican peligro para los ojos o usen un aparato de protección de ojo que incorpore la prescripción en su diseño, o que usen el equipo protector de los ojos que se puede usar sobre las lentes de prescripción sin moverlas ni de la posición apropiada de las lentes de la prescripción ni de las lentes protectoras. §1910.133(a)(3)

## 208. Lavaojos/Duchas

209. Se deben proporcionar instalaciones adecuadas para mojar o enjuagar rápidamente los ojos y el cuerpo en las áreas de trabajo para uso inmediato en caso de emergencia si existe la posibilidad de que un empleado pueda exponerse al contacto con materiales nocivos o corrosivos. §1910.151(c)

## 210. Protección Facial (Vea Protección de los Ojos y el Rostro)

## 211. Protección contra Caídas

212. Cada piso, plataforma, y pasarela que esté abierto/a a los costados y esté ubicado/a a una altura de 4 pies (1.2 metros) o más por encima del nivel inferior debe tener una baranda para evitar que los empleados puedan sufrir una caída. §1910.23(c)(1)

## 213. Paletas de Ventiladores

214. Cuando la periferia de las paletas de un ventilador esté ubicada a una distancia de menos de 7 pies (2.1 metros) por sobre el nivel del suelo o del nivel de trabajo, las paletas se deben proteger. La protección debe tener aberturas de no más de 1/2 pulgada (12.5 milímetros). §1910.212(a)(5)

## 215. Protección contra Incendios

216. Sólo se deben utilizar extinguidores de incendios aprobados. §1910.157(c)(2)

217. Si se suministran extinguidores portátiles de incendios para su uso por parte de los empleados, el empleador debe colocar, ubicar, e identificar a los extinguidores de incendios de tal modo que los empleados puedan tener acceso a los mismos sin demora y sin exponerse a posibles lesiones. Dichos extinguidores de incendios se deben mantener completamente cargados y en buenas condiciones de funcionamiento y se deben guardar en los lugares designados en todo momento, excepto durante su uso. §1910.157(c)(1) y (4)

218. No se deben utilizar extinguidores portátiles de incendios que contengan tetracloruro de carbono o clorobromometano. §1910.157(c)(3)

219. Si el empleador ha proporcionado extinguidores portátiles de incendios para uso de los empleados en el lugar de trabajo, el empleador también debe ofrecer un programa educativo para que los empleados se familiaricen con los principios generales del uso de los extinguidores de incendios y los riesgos involucrados en la etapa incipiente de extinción de incendios. §1910.157(g)(1)

220. **Líquidos Inflamables** (Vea También Tanques de Inmersión con Líquidos Inflamables o Combustibles)

221. Los líquidos inflamables se deben guardar en contenedores o tanques tapados cuando no estén en uso. **§1910.106(e)(2)(iv)(a)**

222. En las plantas industriales, para el propósito del a protección contra incendios, la cantidad de líquidos combustibles o inflamables que se pueden ubicar fuera de una habitación interna para almacenamiento o un armario de almacenamiento en cualquier área de incendio de un edificio no debe superar:

223. • 25 galones (95 litros) de líquidos de Clase 1A en recipientes;

224. • 120 galones (456 litros) de líquidos de Clase 1B, 1C, II, o III en recipientes; o

225. • 660 galones (2,508 litros) de líquidos de Clase 1B, 1C, II, o III en un solo tanque portátil. **§1910.106(e)(2)(ii)(b)**

226. Los líquidos inflamables o combustibles se deben tomar de o transferir a recipientes ubicados dentro de un edificio sólo a través de un sistema de tuberías cerrado, desde latas de seguridad, mediante un dispositivo que tome el líquido por la parte superior, o por gravedad a través de una válvula con cierre automático aprobada. Se prohíbe la transferencia por medio de presión de aire. **§1910.106(e)(2)(iv)(d)**

227. Almacenamiento en Recipientes y Tanques Portátiles

228. No se pueden almacenar más de 60 galones (228 litros) de líquidos de Clase I o Clase II, ni más de 120 galones (456 litros) de líquidos de Clase III, en un armario de almacenamiento. **§1910.106(d)(3)(i)**

229. Las habitaciones internas para almacenamiento de líquidos inflamables y combustibles deben estar construidas en cumplimiento de las especificaciones requeridas con respecto al uso de materiales y cableado ignífugos y deben de tener una bordilla de 4 pulgadas (10.16 centímetros) de altura alrededor del perímetro de la habitación para contener líquidos derramados. **§1910.106(d)(4)(i) y (iii)**

230. Los líquidos inflamables o combustibles, incluyendo las existencias para la venta, no se deben almacenar de modo que obstruyan el uso de salidas, escaleras, o áreas utilizadas normalmente para la salida segura de las personas. **§1910.106(d)(5)(i)**

231. Las áreas de almacenamiento externas deben tener un declive para desviar los posibles derrames de los edificios u otras exposiciones, o deben estar rodeadas por un reborde de por lo menos 6 pulgadas (15 centímetros) de alto con un drenaje apropiado hacia una ubicación segura para líquidos acumulados. Dentro de lo posible, las áreas deben estar protegidas contra manipulaciones indebidas o ingreso ilegal y deben estar libres de malezas, escombros, u otros materiales combustibles que no sean necesarios para el almacenamiento. **§1910.106(d)(6)(iii) y (iv)**

232. Se deben tomar las precauciones adecuadas para evitar que los vapores inflamables se enciendan. Las fuentes de ignición incluyen, pero sin limitarse a, llamas, relámpagos, cigarrillos, recorte y soldadura, superficies calientes, calor por rozamiento, estática, chispas eléctricas y mecánicas, ignición espontánea, incluyendo reacciones químicas que liberan calor, y calor por inducción. **§1910.106(e)(6)(i)**

233. Los líquidos de Clase I no se deben despachar en recipientes a menos que la boquilla y el recipiente estén interconectados eléctricamente. **§1910.106(e)(6)(ii)**

234. **Pisos**

235. Condiciones Generales

236. Todas las superficies del suelo se deben mantener limpias y secas, y no deben tener clavos, astillas, tablas sueltas, agujeros, o cualquier cosa que sobresalga de la superficie. **§1910.22(a)(1)-(3)**

237. En aquellos casos en los que se utilicen procesos por vía húmeda, se debe mantener un drenaje y, de ser posible, se deben colocar pisos falsos, plataformas, alfombras, u otros lugares secos donde pararse. **§1910.22(a)(2)**

238. Límite de Carga

239. En cada uno de los edificios u otras estructuras, o partes de ellos, que se usen con fines mercantiles, comerciales, industriales, o de almacenamiento, las cargas aprobadas por el funcionario autorizado del edificio deben estar indicadas en placas de diseño aprobado suministradas y colocadas de forma segura por el propietario del edificio, o un representante debidamente autorizado, en un lugar visible en cada espacio con el que se relacionen. Dichas placas no deberán retirarse ni alterarse, pero si se pierden, se retiran o se alteran, el propietario, o su representante deben colocar una nueva placa. **§1910.22(d)(1)**

240. Aberturas y Espacios Abiertos

241. Todas las aberturas que rodean a las escaleras y escaleras de mano deben tener barandas estándar con tablones de pie estándar como resguardo en todos los lados expuestos salvo la entrada. En el caso de escaleras que no se utilicen con frecuencia, la protección puede constar de una cubierta articulada a bisagra y barandas estándar desmontables. La entrada a la abertura de una escalera de mano debe estar protegida para evitar que alguien camine directamente hacia adentro de la abertura. **§1910.23(a)(1) y (2)**

242. Cada uno de los pasadizos y las aberturas del piso para canaletas debe estar protegidos con una cubierta para aberturas de piso articulada a bisagra, equipada con barandas estándar para que quede solamente un lado expuesto o una baranda desmontable con tablones de pie en no más de dos de los lados y una baranda estándar fija con tablones de pie en todos los demás lados expuestos. **§1910.23(a)(3)**

243. Se debe proteger cada uno de los agujeros del piso en los que alguien pueda caer accidentalmente, ya sea con una baranda estándar con tablones de pie estándar en todos los lados expuestos o una cubierta para el agujero del piso articulada con una bisagra. Mientras la cubierta no esté colocada en su lugar, se debe vigilar el agujero del piso o se debe proteger con una baranda estándar desmontable. **§1910.23(a)(8)**

244. Todos los pisos, plataformas, y pasarelas con aberturas al costado y ubicados a una altura de 4 pies (1.2 metros) o más por encima del piso adyacente o del nivel inferior deben tener una baranda estándar con tablones de pie en todos los lados expuestos, salvo cuando haya una entrada a una rampa, escalera, o escalera de mano fija. Las pasarelas de no menos de 18 pulgadas (45 centímetros) de ancho que se utilizan exclusivamente para fines especiales pueden tener una baranda menos en uno de los lados si las condiciones de operación así lo requieren. **§1910.23(c)(1) y (2)**

245. Los pisos, pasarelas, plataformas, o pistas con aberturas a los costados que estén a cualquier altura sobre o adyacentes a equipos peligrosos se deben proteger con barandas y tablones de pie estándar. **§1910.23(c)(3)**

246. **Protección para los Pies** (Vea También Equipo de Protección Personal)

247. Se debe usar equipo protector para los pies cuando se trabaja en áreas en las que hay riesgo de sufrir lesiones en los pies debido a objetos que caigan o rueden u objetos que puedan perforar la suela del calzado, y en áreas donde los pies de los empleados estén expuestos a peligros eléctricos. **§1910.136(a)**

248. Los empleados que trabajan en la industria de la explotación forestal deben usar botas de leñador resistentes, a prueba de agua o resistentes al agua y que cubran y resguarden los tobillos. Quienes operen motosierras deben usar protección para los pies fabricada con materiales resistentes a los cortes que proteja al empleado del contacto con una motosierra en funcionamiento. Se pueden usar botas con suela de clavos, u otro tipo de botas antideslizantes si el terreno y las condiciones climáticas así lo requieren. **§1910.266(d)(1)(v)**

249. El calzado protector adquirido antes del 5 de julio de 1994 debe cumplir con la norma ANSI Z41.1-1967, *USA Standard for Men's Safety-Toe Footwear.* **§1910.136(b)(2)**

250. El calzado protector que se haya adquirido después del 5 de julio de 1994 debe cumplir con la norma ANSI Z41-1991, *American National Standard for Personal Protection — Protective Footwear.* **§1910.136(b)(1)**

251. **Carretillas Elevadoras** (Vea Vehículos Industriales Motorizados (Carretillas Elevadoras))

## 252. Formaldehído

253. La exposición del empleado al formaldehído se debe limitar a 0.75 ppm como TWA de 8 horas; un límite de exposición a corto plazo STEL de 2 ppm en 15 minutos; y un nivel de acción de 0.5 ppm. **§1910.1048(c)(1) y (2)**

254. Se debe establecer un programa de supervisión médica para cualquier empleado cuya exposición supere el STEL o nivel de acción. De ser necesario, disposiciones sobre licencia médica con protección de los beneficios económicos, el sueldo y la antigüedad pueden complementar los programas de supervisión médica. **§1910.1048(l)(1)(i) y (l)(8)(vi)**

255. Se requieren etiquetas de advertencia sobre riesgos para el formaldehído en cualquiera de sus formas, incluyendo soluciones y mezclas compuestas por 0.1 por ciento o mayor cantidad de formaldehído y materiales que puedan liberar la sustancia en concentraciones de 0.1 ppm o mayores. Etiquetas con información completa deben incluir advertencias con respecto a los efectos carcinogénicos potenciales si las concentraciones superan 0.5 ppm. **§1910.1048(m)(1)(i) y (m)(3)(iii)**

256. El empleador debe ofrecer capacitación cuando los empleados realicen una tarea por primera vez y, de allí en adelante, anualmente para todos los empleados que estén expuestos a concentraciones de formaldehído de 0.1 ppm o mayores. Dicha capacitación es necesaria para aumentar el conocimiento de los empleados sobre los riesgos del formaldehído en el lugar de trabajo y los métodos de control aplicados, así como también el conocimiento de los signos y los síntomas de los efectos sobre la salud relacionados con la exposición al formaldehído. **§1910.1048(n)(1)-(3)**

## 257. Cláusula General de Obligaciones

258. La sección 5(a)(1) de la Ley William Steiger de Seguridad y Salud Ocupacionales de 1970 se conoce como "Cláusula General de Obligaciones". Se trata de una norma general para citaciones en el caso de que la OSHA identifique condiciones inseguras para las cuales no existe ninguna disposición.

259. Las condiciones o prácticas peligrosas que no se abarcan en una norma OSHA pueden estar incluidas en el Capítulo 5(a)(1) de *Occupational Safety and Health Act of 1970*, que establece que: "Cada empleador debe de proporcionar a cada uno de sus empleados un empleo y un lugar de trabajo libre de riesgos reconocidos que provoquen o pudieran provocar la muerte o severas lesiones físicas a sus empleados".

260. En la práctica, OSHA, la jurisprudencia, y la comisión de revisión han establecido que ante la presencia de los siguientes elementos, se puede emitir una citación de "cláusula general de obligaciones".

261. • El empleador no mantubo el lugar de trabajo libre de riesgos, a los cuales se vieron expuestos los empleados de dicho empleador.

262. • Se reconoció la existencia de un factor de riesgo. (Entre los ejemplos, se pueden incluir: a través de las actividades del personal de seguridad, los empleados, la organización, la organización comercial, o la industria).

263. • El factor de riesgo causó o podría haber causado la muerte o serias lesiones físicas.

264. • Existía un método viable y útil que permitía corregir el factor de riesgo.

## 265. Amolado (Vea Amolado con Material Abrasivo)

## 266. Herramientas Manuales

267. El equipo eléctrico portátil se debe manipular de tal manera que no provoque ningún daño. Al reubicar los equipos conectados mediante cables y enchufes, se debe realizar una inspección visual antes de su uso. **§1910.334(a)(1)-(2)**

268. Cada empleador será responsable de las condiciones seguras de las herramientas y equipos que utilizan los empleados, incluyendo las herramientas y equipos proporcionados por los empleados. **§1910.242(a)**

269. Los armazones de los equipos y herramientas eléctricas portátiles, salvo cuando se fabriquen con doble aislamiento aprobado por UL, deben estar debidamente conectados a tierra. **§1910.304(f)(5)(v)**

270. Todas las herramientas manuales se deben mantener en condiciones seguras. Los mangos de las herramientas se deben mantener bien pegados a la herramienta y los mangos de madera no deben tener astillas ni rajaduras. Las cabezas de las cuñas y los cinceles no deben estar redondeadas. No se deben utilizar llaves de tuerca tensadas hasta el punto que se resbalen. **§1910.266(e)(1)(i)-(v)**

271. Todas las partes metálicas que no sean conductoras de corriente de los equipos portátiles y fijos — incluyendo sus rejas, bastidores, compartimientos, y estructuras de apoyo — se deben conectar a tierra. **§1910.304(f)(7)(iii)**

272. ## Comunicación de Riesgos

273. El propósito de esta norma es garantizar que los riesgos que pudiera provocar cualquier producto químico producido o importado sean evaluados, y que la información referente a estos riesgos sea comunicada a los empleadores y los empleados que deberán manipular estos productos químicos. Esta transmisión de información se debe lograr a través de amplios programas de comunicación de riesgo, que deben incluir rotulado de recipientes y otras formas de advertencia, hojas de datos de seguridad de los materiales, y capacitación de los empleados. **§1910.1200(a)(1)**

274. Los empleadores deberán desarrollar, implementar, y mantener en cada lugar de trabajo un programa de comunicación de riesgos por escrito que:

275. • describa de qué manera se cumplirán los criterios de rotulado y otras formas de advertencia, de hojas de datos de seguridad de los materiales, y de información y capacitación de los empleados;

276. • incluya una lista de los productos químicos peligrosos cuya presencia se conozca y a cuya identidad se haga referencia en la hoja de datos de seguridad de los materiales correspondiente (la lista puede recopilar datos del lugar de trabajo en su totalidad o de áreas de trabajo individuales);

277. • incluya los métodos que el empleador utilizará para informar a los empleados acerca de los riesgos de las tareas no rutinarias (por ejemplo, la limpieza de las cubetas del reactor); e

278 • incluya los riesgos relacionados con productos químicos contenidos en tuberías sin rótulo en sus áreas de trabajo. **§1910.1200(e)(1)**

279. Los fabricantes, importadores, o distribuidores de productos químicos deberán garantizar que cada recipiente de productos químicos peligrosos que sale del lugar de trabajo sea rotulado, etiquetado, o marcado con la identidad del producto químico peligroso, que incluya las advertencias de riesgo correspondientes, y que contenga el nombre y la dirección del fabricante, del importador, o de la parte responsable. **§1910.1200(f)(1)**

280. El empleador deberá mantener en el lugar de trabajo copias de las hojas de datos de seguridad de los materiales requeridas para cada producto químico peligroso y deberá asegurarse de que estén fácilmente accesibles para los empleados en cualquier turno, cuando estos se encuentren en su lugar de trabajo. **§1910.1200(g)(8)**

281. La capacitación del empleado deberá incluir por lo menos:

282. • métodos y observaciones que puedan utilizarse para detectar la presencia o emisión de productos químicos peligrosos en el área de trabajo (por ejemplo, un control llevado a cabo por el empleador, dispositivos de control continuos, apariencia visual, u olor de los productos químicos peligrosos al ser liberados);

283. • los riesgos físicos y para la salud de los productos químicos en el lugar de trabajo;

284. • las medidas que los empleados pueden tomar para protegerse de los peligros, incluyendo procedimientos específicos que el empleador haya implementado para proteger a los empleados de la exposición a los productos químicos peligrosos, como, por ejemplo, uso de prácticas laborales adecuadas, procedimientos de emergencia, y equipo de protección personal que debe usarse; y

285. • los detalles del programa de comunicación de riesgos desarrollado por el empleador, incluyendo la explicación del sistema de rotulado y la hoja de datos de seguridad de los materiales (MSDS), y de qué manera los empleados pueden obtener y utilizar la información de riesgo correspondiente. **§1910.1200(h)(3)**

286. **Energía Peligrosa** (Vea Bloqueo/Etiquetado)

287. **Operaciones con Residuos Tóxicos y Respuesta de Emergencia**

288. Cualquier información relacionada con las propiedades químicas, físicas, y toxicológicas de cada sustancia que está o puede estar presente en el sitio de la que disponga el empleador y que sea relevante para las tareas que un empleado debe desempeñar, deberá quedar a disposición de los empleados afectados antes del comienzo de sus actividades laborales. El empleador puede utilizar información desarrollada para la norma de comunicación de riesgos con este propósito. **§1910.120(c)(8)**

289. Los empleadores deben desarrollar un plan de respuesta de emergencia para los empleados que tengan que responder a emergencias potenciales que involucren sustancias peligrosas. Esto incluye situaciones de emergencia dentro de la planta que involucren sustancias a las cuales los empleados deban responder. **§1910.120(q)**

290. Se necesita capacitación para todos los empleados que trabajen en emplazamientos de purificación de residuos peligrosos, emplazamientos de almacenamiento, eliminación y tratamiento (TSD) (emplazamientos permitidos por la Agencia de Protección Ambiental (Environmental Protection Agency)), y que respondan a cualquier emergencia que involucre sustancias peligrosas. La capacitación debe proporcionar la información necesaria para llevar a cabo estas tareas con seguridad, incluyendo la información sobre el equipo de protección personal adecuado y los procedimientos destinados a proteger a los empleados contra los riesgos y los efectos de la exposición a sustancias tóxicas. **§1910.120(e), (p)(7), y (q)(6)**

291. Es necesaria la implementación de un programa de seguridad y salud que delinee las responsabilidades y los métodos que garanticen la seguridad de los empleados, especialmente de aquellos cuya función tenga que ver con la purificación de residuos peligrosos y las actividades de TSD. **§1910.120(b)(1) y (p)(1)**

292. Se requiere un control médico regular (examen físico) para aquellos empleados dedicados a la manipulación de residuos tóxicos, TSD, y materiales peligrosos. Se utiliza para comprobar si los empleados han sufrido exposición adversa a sustancias nocivas. **§1910.120(f)(2)**

293. Se debe seleccionar y utilizar un equipo de protección personal para proteger a los empleados de las sustancias peligrosas y de riesgos físicos. **§1910.120(g)(3)(i)**

294. Cuando sea necesario, se deberá llevar a cabo un proceso de descontaminación para asegurar que las sustancias peligrosas sean eliminadas de los trabajadores antes de que abandonen el lugar de trabajo, así como del equipo que deba llevarse fuera del emplazamiento. **§1910.120(k)(1)-(2) y (p)(4)**

295. Se deberá desarrollar e implementar un plan de respuesta de emergencia para manejar los casos de emergencias previsibles antes de que se inicien las operaciones de respuesta de emergencia. El plan deberá presentarse por escrito y quedar a disposición de los empleados, sus representantes, y el personal de OSHA para que puedan revisarlo y copiarlo. **§1910.120(q)(1)**

296. **Protección para la Cabeza** (Vea También Equipo de Protección Personal)

297. Se deberán usar equipos de protección para la cabeza (cascos) en las áreas donde exista un posible riesgo de lesiones en la cabeza provocadas por golpes, objetos que caen, o vuelan por el aire, o choques eléctricos y quemaduras. **§1910.135(a)(1) y (2)**

298. Los cascos protectores comprados antes del 5 de julio de 1994 deberán cumplir con la norma ANSI Z89.1-1969, *American National Standard Safety Requirements for Industrial Head Protection.* **§1910.135(b)(2)**

299. Los cascos protectores comprados después del 5 de julio de 1994 deberán cumplir con la norma ANSI Z89.1-1986, *American National Standard for Personnel Protection — Protective Headwear for Industrial Workers — Requirements.* **§1910.135(b)(1)**

## 300. Protección para los Oídos (Vea También Equipo de Protección Personal)

301. Debe proporcionarse protección contra los efectos de la exposición al ruido en el lugar de trabajo cuando los niveles de ruido superen los parámetros que aparecen en la Tabla G-16 de las Normas de Seguridad y Salud. Se deberán aplicar controles técnicos y/o administrativos factibles para mantener la exposición por debajo de los límites máximos permitidos. **§1910.95(a) y (b)(1)**

302. Cuando los controles técnicos o administrativos no logren reducir el nivel de ruido limitándolo a los niveles que establece la Tabla G-16 de las Normas de Seguridad y Salud, deberá suministrarse y utilizarse un equipo de protección personal para reducir el ruido a un nivel aceptable. **§1910.95(b)(1)**

303. En todos los casos, cuando los niveles de ruido igualen o superen un TWA de 8 horas de 85 decibeles medidos según la escala A, se debe elaborar un programa de conservación de la audición permanente y efectivo. Además, el empleador deberá desarrollar e implementar un programa de control. **§1910.95(c) y (d)(1)**

304. La exposición a ruidos de impulso o de impacto no debe superar un nivel de presión acústica máxima de 140 dB (vea Tabla G-16).

Tabla G-16 - Exposiciones Admisibles al Ruido[1]

| Duración por día, horas | Respuesta lenta del nivel acústico expresada en dBA |
|---|---|
| 8 | 90 |
| 6 | 92 |
| 4 | 95 |
| 3 | 97 |
| 2 | 100 |
| 1½ | 102 |
| 1 | 105 |
| 1/2 | 110 |
| 1/4 o menos | 115 |

1. Cuando la exposición diaria al ruido se compone de dos o más períodos de exposición a diferentes niveles de ruido, se debe considerar su efecto combinado en lugar del efecto individual que cada uno de ellos produce. Si la suma de las siguientes fracciones: $C_1/T_1 + C_2/T_2 + C_n/T_n$ supera la unidad, entonces se considera que la exposición total supera el valor límite. $C_n$ indica el tiempo total de exposición en cantidad de horas a un determinado nivel de ruidos, y $T_n$ indica el tiempo total en horas de exposición permitida a ese nivel.

La exposición al ruido impulsivo o del impacto no debe exceder el nivel de presión sana máximo del 140 dB.

**§1910.95(b)(2)**

305. Los patrones se asegurarán de que los protectores de oído sean usados:

306. • Por un empleado de quien esta sección requiere el uso del equipo protector personal por §1910.95(b)(1); y **§1910.95(i)(2)(i)**

307. • Por cualquier empleado que se exponga a una concentración promedia de ocho horas de 85 decibelios o más, y todavía no ha tenido un audiograma de base establecido conforme a §1910.95(g)(5)(ii); o que ha experimentado un cambio en el umbral auditivo. **§1910.95(i)(2)(ii)**

308. El empleador deberá poner a disposición de los empleados afectados o de sus representantes copias de esta norma y colocar una copia a la vista de todos en el lugar de trabajo. **§1910.95(l)(1)**

309. **Mecanismos de Elevación** (Vea Grúas, Mecanismos de Elevación, y Grúas de Maniobra)

310. **Ganchos** (Vea Cadenas, Cables, Sogas, y Ganchos)

## 311. Limpieza

312. Todos los lugares de trabajo, corredores, almacenes, y habitaciones de servicio deberán mantenerse limpios y ordenados y en condiciones sanitarias adecuadas. **§§1910.22(a)(1) y 1910.141(a)(3)**

313. **Radiación Ionizante** (Vea Radiación, Radiación Ionizante)

## 314. Escaleras de Mano

### 315. Fijas

316. Todos los peldaños deberán tener un diámetro mínimo de 3/4 de pulgada (1.8 centímetros) si son de metal, o de 1 1/8 pulgadas (2.8 centímetros) si son de madera. Deberán tener un mínimo de 16 pulgadas (40 centímetros) de ancho y quedar espaciados de manera uniforme a una distancia que no supere las 12 pulgadas (30 centímetros). **§1910.27(b)(1)(i)-(iii)**

317. Deberán suministrarse jaulas, pozos o dispositivos de seguridad para escaleras en escaleras de mano fijadas a torres, tanques de agua o chimeneas con cualquier escalera de más de 20 pies (6 metros) de largo. Deberán suministrarse plataformas de descanso cada 30 pies (9 metros) de largo, salvo en caso de que no haya una jaula, en cuyo caso las plataformas de descanso deberán suministrarse cada 20 pies (6 metros) de largo. **§1910.27(d)(1), (2), y (5)**

318. La parte superior de las jaulas en las escaleras fijas deberá extenderse 42 pulgadas (1 metro) por encima de la parte superior del descanso, salvo que se suministre otra protección aceptable, y la parte inferior de la jaula no deberá estar a menos de 7 pies (2.1 metros) ni a más de 8 pies (2.4 metros) por encima de la base de la escalera. **§1910.27(d)(1)(iii) y (iv)**

319. Las barandas laterales deberán extenderse a 3 1/2 pies (1 metro) por encima de la plataforma del descanso. **§1910.27(d)(3)**

### 320. Portátiles

321. Las escaleras deberán equiparse con un dispositivo de apertura o bloqueo de metal de tamaño y de fuerza suficientes como para sostener con seguridad las secciones delantera y trasera en una posición abierta. **§§1910.25(c)(2)(i)(f) y 1910.26(a)(3)(vii)**

322. Las escaleras deberán inspeccionarse con frecuencia, y las que estén defectuosas deberán retirarse de servicio para repararlas o destruirlas y rotularse o marcarse con un cartel que diga "Peligroso, no usar". **§§1910.25(d)(1)(x) y 1910.26(c)(2)(vii)**

323. Las escaleras de mano portátiles que no se sostengan por sí solas deberán apoyarse sobre una base sólida, con la base de la escalera a una distancia de la pared o del apoyo superior equivalente a un cuarto de la longitud de la escalera y colocada de tal forma que se eviten deslizamientos. **§§1910.25(d)(2)(i) y (iii) y 1910.26(c)(3)(i) y (iii)**

324. La parte superior de una escalera utilizada para acceder a un techo deberá extenderse por lo menos 3 pies (0.9 metros) por encima del punto de contacto. **§1910.25(d)(2)(xv)**

325. OSHA requiere que las escaleras portátiles tengan rieles laterales no conductores si son usadas por empleados que en su lugar de trabajo podrían entrar en contacto con partes de circuitos expuestos cargados con electricidad. **§1910.333(c)(7)**

## Plomo

327. El empleador deberá asegurarse de que ningún empleado se exponga a plomo en niveles de concentración superiores a 50 microgramos por metro cúbico (50 µg/m$^3$) de aire como promedio en un período de 8 horas. **§1910.1025(c)(1)**

## Bloqueo/Etiquetado

329. Siempre que se realice un servicio o mantenimiento en máquinas y equipos, éste deberá efectuarse con la máquina o el equipo detenido y aislado de toda fuente de energía. **§1910.147(a)(3)(i)**

330. El dispositivo(s) de aislamiento de energía para esta máquina o equipo se debe bloquear o etiquetar siguiendo un procedimiento documentado. Los empleadores involucrados en el programa de control de energía deben recibir capacitación. **§1910.147(c)(7)**

331. Deben llevarse a cabo inspecciones periódicas del uso de dichos procedimientos por lo menos una vez al año para asegurar la continua efectividad del programa. La inspección periódica debe incluir un repaso de los procedimientos con todos los empleados autorizados a utilizar los procedimientos cuando se utiliza el bloqueo y con todos los empleados autorizados y afectados cuando se utiliza el etiquetado. **§1910.147(c)(6)**

332. Después del uso de dispositivos de registro de estado de la máquina o de los dispositivos del etiquetado a la energía que aísla los dispositivos, toda la energía almacenada o residual que es potencialmente peligrosa será relevada, desconectada, refrenada, o hecha segura de otra manera. **§1910.147(d)(5)(i)**

333. Cuando los contratistas externos realicen un servicio o mantenimiento en una planta o instalación, cada empleador debe coordinar las tareas con los demás empleadores para asegurarse de que ningún empleado quede en situación de riesgo. **§1910.147(f)(2)**

334. Cuando un grupo de empleados esté realizando una actividad de servicio o de mantenimiento, cada empleado debe recibir protección equivalente al uso individual de bloqueo o etiquetado. **§1910.147(f)(3)**

335. Cuando el servicio o mantenimiento se prolongue más allá del período correspondiente a un turno, se deberán de utilizar procedimientos específicos para asegurar la protección continua del personal, incluyendo disposiciones para la transferencia ordenada del control de bloqueo o etiquetado. Esto se debe hacer para minimizar la exposición a los riesgos provenientes de la reanudación inesperada del suministro eléctrico, arranque de la máquina o equipo, o de la liberación de energía almacenada o residual. **§1910.147(f)(4)**

## 336. Comedores

337. Los empleados no deberán consumir alimentos o bebidas en los baños o en áreas expuestas a material tóxico. §1910.141(g)(2)

338. Se deberá suministrar un receptáculo con tapa de material resistente a la corrosión o descartable en las áreas que se usan para comer para la eliminación de los restos de comida. Se podrá omitir la tapa cuando las condiciones sanitarias puedan mantenerse sin el uso de una tapa. §1910.141(g)(3)

## 339. Protección de la Máquina (Vea También Amolado con Material Abrasivo)

340. Se deberá proteger la máquina para evitar que los empleados que trabajan en el área donde se encuentra la máquina queden en situación de riesgo emergente de punto de operación, puntos de contracción internos, partes giratorias, lascas voladoras, y chispas. La protección deberá ser tal que no represente un riesgo en sí misma. §1910.212(a)(1) y (2)

341. El dispositivo de protección del punto de operación deberá estar diseñado para evitar que cualquier parte del cuerpo del operador quede dentro de la zona de peligro durante el ciclo de operación. §1910.212(a)(3)(ii)

342. Se permitirá el manejo de los materiales sin que el operador deba colocar una mano en la zona de peligro mediante herramientas manuales complementarias especiales para la colocación y retiro de materiales. §1910.212(a)(3)(iii)

343. Algunas de las máquinas que generalmente requieren protección en el punto de operación son las guillotinas, cizallas, cizallas de palanca, prensas eléctricas, fresadoras, sierras eléctricas, junteras, herramientas eléctricas portátiles, y rodillos de formación y calandrias. §1910.212(a)(3)(iv)

## 344. Maquinaria, Fija

345. Las máquinas diseñadas para una ubicación fija deberán fijarse de forma segura para evitar que se desplacen o que se muevan, o bien diseñarse de tal manera que no se muevan durante la operación normal. §1910.212(b)

## 346. Marcas, Carteles, y Rótulos

347. Los empleados que reciban envíos de materiales peligrosos que deban portar marcas, carteles o rótulos de acuerdo con las Disposiciones sobre Materiales Peligrosos del U.S. Department of Transportatio, deben conservar estas advertencias en el embalaje y en el vehículo de transporte hasta que los materiales peligrosos sean retirados. §1910.1201(a) y (b)

## 348. Equipo Elevador de Materiales (Vea Cadenas, Cables, Sogas, y Ganchos; Grúas, Mecanismos de Elevación, y Grúas de Maniobra)

349. **Prensas Eléctricas Mecánicas**

350. El empleador deberá suministrar y asegurar el uso de protecciones de punto de operación o dispositivos de punto de operación aplicados y ajustados de forma adecuada para evitar la entrada de manos y dedos en el punto de operación a través, por encima, por debajo, y alrededor de la protección en cada operación realizada en una prensa eléctrica mecánica. Este requisito no se aplicará cuando la apertura del punto de operación sea de 1/4 de pulgada (6 mm) o inferior. **§1910.217(c)(1) y (c)(2)(i)(a)**

351. Las operaciones que requieran el uso de la mano y el pie deberán de tener protecciones para evitar la puesta en marcha inadvertida de la prensa. **§1910.217(b)(4) y (5)**

352. El empleador deberá proporcionar y aplicar el uso de bloques de seguridad siempre que se ajusten o se reparen los troqueles en la prensa. Deberán proporcionarse cepillos, u otras herramientas para la lubricación para que los empleados no tengan que introducir las manos en el punto de operación. **§1910.217(d)(9)(iv) y (v)**

353. No se permite utilizar dispositivos sensores de presencia para iniciar el proceso de deslizamiento salvo si se utilizan de total conformidad con el párrafo (h), 29 CFR 1910.217, que requiere certificación del sistema de control. **§1910.217(h)**

354. Las máquinas que utilizan embragues de revolución completa deberán incorporar un mecanismo de un solo recorrido. **§1910.217(b)(3)(i)**

355. Se deberá proporcionar un interruptor de desconexión principal que pueda trabarse en la posición desconectada con cada sistema de control de la prensa. **§1910.217(b)(8)(i)**

356. Para garantizar las condiciones de operación seguras y mantener un registro de las inspecciones y del servicio de mantenimiento, el empleador deberá establecer un programa de inspecciones regulares de las prensas eléctricas que incluya la fecha y el número de serie del equipo, así como la firma del inspector. **§1910.217(e)(1)(i)**

357. Todas las lesiones ocurridas en el punto de operación deberán informarse a OSHA o a la agencia estatal dentro de los siguientes 30 días. **§1910.217(g)(1)**

358. **Servicios Médicos y Primeros Auxilios**

359. El empleador debe garantizar la disponibilidad de personal médico para brindar asesoramiento y consultas sobre cuestiones de salud laboral. **§1910.151(a)**

360. Cuando no haya disponible cerca del lugar de trabajo una institución médica para el tratamiento de empleados lesionados, una o varias personas deberán recibir capacitación para ofrecer primeros auxilios. Deberán mantenerse elementos de primeros auxilios para uso del personal capacitado. **§1910.151(b)**

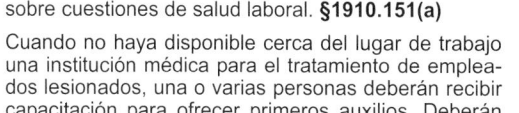

361. **4,4'-Metilendianilina (MDA)**

362. El empleador debe garantizar que ningún empleado sea expuesto a una concentración en el aire de MDA que supere 10 ppb en concepto de TWA de 8 horas; un STEL de 15 minutos de 100 ppb; un nivel de acción de 5 ppb; y que no haya contacto dérmico con MDA. **§1910.1050(b) y (c)**

363. Los empleadores deben determinar si los empleados están sujetos a la exposición de MDA por encima del nivel de acción, TWA de 8 horas, o STEL, o por contacto dérmico. **§1910.1050(e)(1)(i), (e)(2) y (e)(8)**

364. Los empleadores deberán limitar las exposiciones al MDA suspendido en el aire con controles técnicos y de prácticas de trabajo factibles, complementados por el uso de respiradores de ser necesario, y deberán limitar la exposición dérmica mediante vestimenta y equipo de protección personal adecuados. Se deben establecer áreas reguladas donde la exposición pueda superar el TWA de 8 horas, o las exposiciones dérmicas a MDA. **§1910.1050(f)(1), (g)(1), y (i)(1)**

365. Los empleadores deberán proporcionar instalaciones higiénicas que incluyan áreas de descontaminación, cambio de ropa, equipos, duchas, y comedores cuando puedan producirse niveles de exposición a MDA dérmicos o elevados. **§1910.1050(j)**

366. Los riesgos de exposición al MDA deberán comunicarse a los empleados a través de carteles en las áreas reguladas, rotulado de contenedores con MDA, y manteniendo un MSDS para MDA, y ofreciendo a los empleados un programa de información y capacitación. **§1910.1050(k)**

367. Debe ponerse un control médico a disponibilidad para los empleados que presenten exposición dérmica a MDA durante 15 días o más por año, expuestos por encima del nivel de acción durante 30 días o más por año, y en otras situaciones donde la exposición a MDA puede presentar riesgos para la salud de los empleados. Se deben otorgar beneficios (remuneración, antigüedad) a los empleados cuya exposición a MDA dé lugar a la determinación médica de que, por razones de salud, el empleado debe ser alejado de dicha exposición. **§1910.1050(m)(1) y (m)(9)(v)**

## 368. Cloruro de Metileno

369. Los PEL para el cloruro de metileno son:

370. (1) **TWA de 8 horas.** El empleador debe garantizar que ningún empleado quede expuesto a una concentración en el aire que supere los 25 ppm de aire como un TWA de 8 horas. **§1910.1052(c)(1)**

371. (2) **STEL.** El empleador debe garantizar que ningún empleado quede expuesto a una concentración en el aire que supere 125 ppm de aire según se determine en un período de muestra de 15 minutos. **§1910.1052(c)(2)**

## 372. Política de Citación de Empleadores Múltiples

373. Los empleadores no deben de crear condiciones que violen las normas de OSHA o que hagan que un lugar de trabajo sea inseguro. En los lugares de trabajo donde haya varios empleadores (en todos los sectores de la industria), se podrá citar a más de un empleador en caso de detectarse una condición de riesgo que viole las normas de la OSHA.

374. OSHA clasifica a los empleadores en una o más de cuatro categorías para determinar si se emitirá una citación: los empleadores que crean, que exponen, que corrigen, y que controlan.

375. **El Empleador que Crea:** Se trata del empleador que provoca una condición de riesgo que viola una norma de OSHA. El empleador que crea una situación riesgosa puede ser citado aunque los únicos empleados que sean expuestos al riesgo trabajen para otros empleadores.

376. **El Empleador que Expone:** Se trata de un empleador que expone a sus propios empleados al riesgo.

377. Si el empleador que expone provocó la violación, puede ser citado por ella, considerándoselo como empleador que crea.

378. Si la violación fue creada por otro empleador, el empleador que expone puede ser citado si:

379. (1) sabía que existía la situación peligrosa o no tomó los recaudos razonables para detectar esta condición, y

380. (2) no tomó las medidas necesarias para proteger a sus empleados.

381. Si el empleador que expone tiene la autoridad para corregir el riesgo, debe de hacerlo.

382. Si el empleador que expone carece de autoridad para corregir el factor de riesgo, es pasible de citación en caso de que no tome cada una de las siguientes medidas:

383. (1) solicitar al empleador que crea y/o que controla que corrija la situación de riesgo

384. (2) informar a sus empleados acerca del riesgo, y

385. (3) tomar medidas alternativas razonables de protección.

386. Nota: Bajo ciertas circunstancias, el empleador es pasible de citación si no saca a los empleados del lugar de trabajo para evitar el riesgo.

387. **El Empleador que Corrige:** El empleador que es responsable de la corrección de un riesgo en el lugar de trabajo del empleador que expone, lo que normalmente ocurre cuando el empleador que corrige está instalando y/o manteniendo equipos de seguridad/salud. El empleador que corrige debe de tomar recaudos razonables para prevenir y detectar violaciones y cumplir con sus obligaciones de corregir los factores de riesgo.

388. **El Empleador que Controla:** Es el empleador con autoridad de supervisión general sobre el lugar de trabajo, incluyendo la autoridad para corregir las violaciones de seguridad y de salud o para ordenar a otros que lo hagan. Un empleador que controla debe de tomar recaudos razonables para evitar y detectar violaciones a la seguridad en el lugar de trabajo.

389. ## Ruido (Vea Protección para los Oídos)

390. ## Radiación No Ionizante (Vea Radiación, Radiación No Ionizante (Radiación Electromagnética))

391. ## Corredores (Vea Pasillos y Corredores)

392. ## Espacios Cerrados Que Requieren de un Permiso
(Vea Espacios Cerrados)

393. ## Equipo de Protección Personal (PPE) (Vea También Protección de los Ojos y el Rostro, Protección para los Pies, Protección para la Cabeza, Protección para los Oídos, Protección Respiratoria)

394. Se deberán suministrar, usar, y mantener en buenas condiciones sanitarias y de uso confiable equipos de protección personal (PPE) adecuados — que protejan los ojos, el rostro, la cabeza y las extremidades, dispositivos respiratorios, y escudos y barreras protectoras — donde exista el riesgo de que ciertos procesos o entornos puedan provocar lesiones o enfermedades al empleado. §1910.132(a)

395. Cuando los empleados proporcionen su propio PPE, el empleador será responsable de garantizar su adecuación y de que el equipo sea mantenido correctamente y en perfectas condiciones sanitarias. §1910.132(b)

396. El empleador deberá evaluar el lugar de trabajo para determinar la presencia, o una posible presencia de riesgos, que requieran el uso de PPE (protección para cabeza, ojos, rostro, pie, o mano). Si dichos riesgos están presentes, o existe la posibilidad de que lo estén, el empleador deberá seleccionar y hacer que sus empleados usen el (los) tipo(s) de PPE que los proteja de los riesgos identificados en la evaluación de riesgo. §1910.132(d)

397. El empleador deberá brindar capacitación a cada uno de los empleados que deban usar PPE. Cada uno de esos empleados deberá recibir capacitación para saber por lo menos lo siguiente:
398. • cuándo es necesario el PPE;
399. • qué PPE es necesario;
400. • como colocarse, quitarse, ajustar, y usar el PPE;
401. • las limitaciones del PPE; y
402. • el cuidado adecuado, mantenimiento, vida útil, y descarte del PPE. §1910.132(f)

### 403. Herramientas Eléctricas Portátiles (Neumáticas)

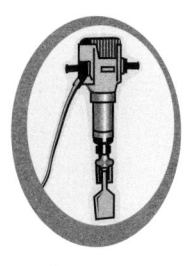

404. Para las herramientas portátiles, se deberá instalar un retenedor de herramienta en cada pieza de equipo de utilización, el cual, sin ese retenedor, podría eyectar la herramienta. **§1910.243(b)(1)**

405. Las mangueras y conexiones de manguera utilizadas para conducir el aire comprimido serán diseñadas para la presión y el servicio al cual están sujetos. **§1910.243(b)(2)**

### 406. Protección del Equipo de Transmisión de Energía

407. Se deberán proteger de forma efectiva todas las correas, poleas, ruedas dentadas y cadenas, volantes de inercia, sistemas de eje y proyecciones de eje, engranajes y empalmes, u otras partes giratorias o intercambiantes, o parte de estas piezas, que se encuentren hasta 7 pies (2.1 metros) sobre el nivel del piso o de la plataforma de trabajo. **§1910.219(b)(1), (c)(2)(i), y (f)(3)**

408. Todas las protecciones para las correas inclinadas deberán realizarse de conformidad con las normas de construcción de correas horizontales, y deberán colocarse de tal manera que se mantenga un espacio mínimo de 7 pies (2.1 metros) entre la correa y el piso en cualquier punto fuera de la protección. **§1910.219(e)(3)**

409. Los volantes de inercia ubicados de tal manera que cualquier parte se encuentre a 7 pies (2.1 metros) o menos sobre el nivel del piso o de la plataforma deberán protegerse con un cerramiento de metal laminado, perforado, o expandido, o con un alambre tejido. **§1910.219(b)(1)(i)**

410. Los volantes de inercia que sobresalgan del área de trabajo deberán quedar totalmente protegidos con una baranda y tablón de pie. **§1910.219(b)(1)(iii)**

411. Donde ambos tendidos de correa horizontal se encuentren a 7 pies (2.1 metros) o menos del nivel del piso o de la superficie de trabajo, la protección se deberá extender por lo menos 15 pulgadas (37.5 centímetros) por encima de la correa o hasta una altura estándar, salvo donde ambos tendidos de correas horizontales se encuentren a 42 pulgadas (1.05 metros) o menos del nivel del piso, la correa deberá quedar completamente resguardada por protectores de metal laminado sólido, perforado o expandido, mallas de alambre en una armazón de hierro angular, o tubería de hierro fijada con seguridad al piso o el armazón de la máquina. **§1910.219(e)(1)(i) y (m)(1)(i)**

412. Los engranajes, las ruedas dentadas, y las cadenas deberán tener protección, a menos que se encuentren a más de 7 pies (2.1 metros) sobre el nivel del piso o que los puntos de malla se encuentren protegidos. **§1910.219(f)(1) y (f)(3)**

413. Los empalmes con pernos, tuercas, o tornillos fijos que se prolonguen más allá de la brida del empalme deberán protegerse con un casquillo de seguridad. **§1910.219(i)(2)**

414. **Vehículos Industriales Motorizados (Carretillas Elevadoras)**

415. Si en algún momento un vehículo industrial motorizado necesita reparación, presenta defectos, o se muestra de alguna forma poco seguro, debe quedar fuera de servicio hasta que se restaure la condición de operación segura. **§1910.178(p)(1)**

416. Los vehículos que se manejan con la carga elevada deben estar equipados con protecciones superiores sólidas a menos que las condiciones de operación no lo permitan. **§1910.178(e)(1)**

417. Las carretillas elevadoras deberán estar equipadas con extensiones de sostén de carga vertical cuando los tipos de carga representen un riesgo para los operadores. **§1910.178(e)(2)**

418. Se deberán accionar los frenos del vehículo y se deben colocar cuñas para las ruedas debajo de las ruedas traseras para evitar el movimiento de los vehículos, de los remolques, o de los vehículos sobre rieles durante la carga o la descarga. **§1910.178(m)(7)**

419. Sólo un operador capacitado y autorizado podrá operar un vehículo industrial motorizado. Se deberán elaborar métodos de capacitación de los operadores para que puedan operar con seguridad vehículos industriales motorizados. **§1910.178(l)**

420. **Plataformas Motorizadas para Mantenimiento de Edificios**

421. Las plataformas accionadas son equipo usado para proporcionar el acceso al exterior de un edificio para el mantenimiento, que consisten en una plataforma suspendida de funcionamiento electrizado, una grúa de azotea, u otros medios de suspensión, y los dispositivos indispensables de funcionamiento y de control. **§1910.66 Appendix D**

422. Todas las instalaciones de equipo de mantenimiento de edificios completas deberán ser inspeccionadas y probadas en el campo antes de ponerlas en servicio. Deberá realizarse una inspección y una prueba similar después de cualquier alteración importante en alguna instalación existente. Ningún dispositivo de elevación estará sujeto a una carga que supere el 125 por ciento de la carga máxima establecida. **§1910.66(g)(1)**

423. Los soportes estructurales, ligaduras, guías de sujeción, dispositivos de anclaje, y cualquier parte afectada de un edificio incluida en la instalación serán diseñados por o bajo la dirección de un ingeniero profesional calificado y con licencia. Las instalaciones exteriores deberán poder soportar las condiciones climáticas prevalecientes. La instalación del edificio deberá proporcionar acceso y egreso seguro del equipo y suficiente espacio para realizar el mantenimiento necesario. Las partes afectadas del edificio deberán poder sostener todas las cargas que le impone el equipo. Las partes afectadas del edificio deberán diseñarse para permitir que el equipo pueda ser utilizado sin exponer a los empleados a condiciones de riesgo. **§1910.66(e)(1)(i)-(v)**

424. Las reparaciones o los servicios de mantenimiento importantes que deban realizarse en las partes del edificio que ofrecen apoyo principal al equipo suspendido no deben afectar la capacidad del edificio para cumplir con los requisitos de esta norma. **§1910.66(e)(10)**

425. El circuito de alimentación del equipo deberá ser un circuito eléctrico independiente que deberá quedar separado de los demás equipos dentro o en el edificio, salvo los circuitos eléctricos utilizados para herramientas manuales que se usan junto con el equipo. Si el edificio dispone de un sistema eléctrico de emergencia, el circuito de alimentación del equipo también se puede conectar a este sistema. **§1910.66(e)(11)(iii)**

426. Las instalaciones de equipo deberán diseñarse conforme a las indicaciones de un ingeniero profesional calificado con licencia. El diseño deberá tener en cuenta una carga viva mínima de 250 libras (113.6 kg) por cada ocupante de una plataforma suspendida o sostenida. El equipo que esté expuesto al viento cuando esté fuera de servicio deberá diseñarse para soportar fuerzas generadas por vientos de por lo menos 100 mph (44.7 m/s) a 30 pies (9.2 metros) por encima del grado de inclinación y cuando esté en servicio para soportar fuerzas generadas por vientos de por lo menos 50 mph (22.4 m/s) en todas las elevaciones. **§1910.66(f)(1)(i)-(iv)**

427. Cada componente de unidad suspendida, salvo los sistemas de cuerdas de suspensión y de protección mediante barandas, y debe poder soportar por lo menos cuatro veces el límite máximo de la carga viva aplicada o transmitida para este componente. **§1910.66(f)(5)(i)(A)**

## 428. Recipientes a Presión (Calderas)

429. El diseño, la construcción, y la inspección de calderas se describe en el ASME Boiler and Pressure Vessel Code, 1968 y actual. **§§1910.106(b)(1)(iv)(b)(2), 1910.217(b)(12), y 1910.261(a)(4)(i), y OSHA Instruction TED 1.15, Section III: Chapter 3 (Pressure Vessel Guidelines).**

## 430. Administración de la Seguridad del Proceso de Productos Químicos Altamente Peligrosos

431. Los empleadores deberán desarrollar un plan de acción por escrito con respecto a la participación de los empleados y consultar con los empleados y sus representantes con respecto a la implementación y desarrollo de los análisis de riesgo del proceso y el desarrollo de otros elementos de la administración de seguridad de procesos. **§1910.119(c)(1) y (2)**

432. El empleador deberá recopilar la información de seguridad de procesos por escrito antes de llevar a cabo un análisis de riesgo del proceso. **§1910.119(d)**

433. El empleador deberá realizar un análisis de riesgo del proceso adecuado para la complejidad de los procesos de la empresa y deberá identificar, evaluar, y controlar los riesgos involucrados en el proceso. **§1910.119(e)(1)**

434. El empleador deberá desarrollar e implementar procedimientos de operación por escrito que suministren instrucciones claras para la realización segura de actividades involucradas en cada proceso en cuestión que sean coherentes con la información de seguridad del proceso. **§1910.119(f)(1)**

435. Cada empleado actualmente involucrado en la operación de un proceso y cada empleado antes de involucrarse en la operación de un proceso recién asignado, deberá recibir capacitación sobre un panorama general del proceso así como de los procedimientos de operación especificados en el párrafo (f) de esta sección. **§1910.119(g)(1)**

436. El empleador, al seleccionar un contratista, deberá obtener y evaluar la información sobre los programas y desempeño de seguridad del empleador contratado. **§1910.119(h)(2)(i)**

437. El empleador contratado deberá garantizar que cada empleado contratado esté capacitado sobre las prácticas laborales necesarias para la ejecución de una tarea de forma segura. **§1910.119(h)(3)(i)**

438. El empleador deberá realizar un análisis de seguridad antes de comenzar con las tareas en las instalaciones nuevas y en las instalaciones modificadas si la modificación es lo suficientemente significativa como para que sea necesario realizar un cambio en la información de seguridad de los procesos. **§1910.119(i)(1)**

439. El empleador deberá establecer e implementar procedimientos por escrito para mantener la integridad permanente del equipo que se utiliza en los procesos. **§1910.119(j)(2)**

440. El empleador deberá establecer e implementar procedimientos por escrito para manejar los cambios de productos químicos, tecnología, equipos, y procedimientos utilizados en el proceso, y cambios a las instalaciones que puedan afectar el proceso en cuestión. **§1910.119(l)(1)**

441. El empleador deberá investigar cada incidente que resulte en, o que podría dentro de lo razonable haber resultado en, una emisión catastrófica de productos químicos altamente peligrosos en el lugar de trabajo. **§1910.119(m)(1)**

442. El empleador deberá establecer e implementar un plan de acción de emergencia para toda la planta de acuerdo con las disposiciones de 29 CFR 1910.38(a). **§1910.119(n)**

443. # Radiación

444. ## Radiación Ionizante

445. Los empleadores deberán ser responsables de la implementación de controles adecuados para evitar que cualquier empleado quede expuesto a radiación ionizante que supere los límites aceptables.

446. Salvo en los casos previstos a continuación, ningún empleador deberá tener, usar, o transferir fuentes de radiación ionizante que puedan hacer que cualquier persona en un área restringida reciba en cualquier período de un trimestre calendario de fuentes que el empleador posea o controle una dosis que supere las de la siguiente tabla:

| | Rems[1] por calendario trimestre |
|---|---|
| Todo cuerpo: Cabeza y tronco; órganos activos de formación de la sangre; cristalinos de los ojos; o gónadas | 1.25 |
| Manos y antebrazos; pies y tobillos | 18.75 |
| Piel de todo el cuerpo | 7.5 |

1. Rem es una medida de la dosis de cualquier radiación ionizante en tejido corporal en términos de sus efectos biológicos estimados con respecto a una dosis de 1 roentgen (r) de rayos X (1 milirem [mrem] = 0.001 rem). La relación del rem con otras unidades de dosis depende del efecto biológico en consideración y de las condiciones de irradiación.

**§1910.1096(b)(1) y (c)(1)**

447. Excepciones: Un empleador puede permitir que una persona en un área restringida reciba dosis en todo el cuerpo mayores que las permitidas siempre y cuando:

448. (1) durante el trimestre calendario la dosis recibida en todo el cuerpo no supere 3 rems;

449. (2) la dosis recibida en todo el cuerpo, al agregarse a la dosis ocupacional acumulada en todo el cuerpo, no supere 5 (N-18) rems, donde "N" equivale a la edad de la persona en cantidad de años en su último cumpleaños; y

450. (3) el empleador mantenga registros adecuados de exposición pasada y presente. **§1910.1096(b)(2)**

451. Cada área de radiación debe ser indicada de forma visible con señales y/o barreras adecuadas. **§1910.1096(e)(2)**

452. Los empleadores deberán mantener registros de la exposición a la radiación de todos los empleados para los cuales es necesario el control de personal. **§1910.1096(b)(2)(iii) y (n)(1)**

453. ## Radiación No Ionizante (Radiación Electromagnética)

454. Los empleadores deberán ser responsables de la implementación de controles adecuados para evitar que cualquier empleado quede expuesto a una radiación electromagnética que supere los límites aceptables. **§1910.97(a)(2)**

455. Cada área de radiación electromagnética debe ser indicada de forma conspicua con señales y/o barreras adecuadas. **§1910.97(a)(3)**

456. **Barandas** (Vea También Escaleras, Industriales Fijas)

457. Una baranda estándar consiste en una baranda superior, una baranda intermedia, y barras, con una altura vertical de 42 pulgadas (1.05 metros) desde la superficie superior hasta la parte superior de la baranda y/o la plataforma. **§1910.23(e)(1)**

458. Una baranda para pisos, plataformas, y pasarelas abiertos a los costados debe tener tablones de pie siempre que, debajo de los laterales abiertos, haya un paso de personas, maquinaria móvil, o equipo que con la caída de materiales podría provocar un riesgo. **§1910.23(c)(1)**

459. Las barandas deberán construirse de tal manera que la estructura completa pueda ser capaz de soportar una carga de por lo menos 200 libras (90 kilogramos) en cualquier dirección, en cualquier punto de la parte superior de la baranda. **§1910.23(e)(3)(iv)**

460. Una baranda de escalera debe ser de construcción similar a la de la baranda estándar, pero la altura vertical no debe ser superior a 34 pulgadas (85 centímetros) ni inferior a 30 pulgadas (75 centímetros) desde la parte superior de la baranda superior hasta la superficie del peldaño alineado con el frente del contraescalón en el borde delantero del peldaño. **§1910.23(e)(2)**

## 461. Mantenimiento de Registros: Requisitos para los Informes y Registros

462. Todos los empleadores deben de registrar y presentar un informe acerca de cualquier caso de muerte, enfermedad, y lesión laboral que se produzca en cada uno de sus establecimientos. Se debe de utilizar un Registro 300 de OSHA y un Formulario 301 de OSHA para informes sobre lesiones y enfermedades, o un formulario equivalente para todas las lesiones y enfermedades que se produzcan en dicho establecimiento. El empleador debe de registrar cada uno de estos sucesos a más tardar siete días de calendario a partir del momento en que se reciba la información. **§§1904.7 y 1904.29(b)(3)**

463. En caso de que se produzca un accidente laboral que cause la muerte de uno o más empleados o que, como resultado de dicho accidente, tres o más empleados deban ser hospitalizados, el empleador debe de realizar un informe verbal en la oficina de área de OSHA más cercana dentro de las 8 horas. También puede utilizar el número de teléfono de la central de OSHA: 1-800-321-OSHA. **§1904.39(a)**

464. Nota: El empleador siempre debe de informar acerca de los incidentes que tengan como resultado la muerte o la hospitalización de tres o más empleados, aunque no tenga que mantener un Registro 300.

465. El empleador debe de mantener un Registro 300 por separado para cada establecimiento que, según las expectativas, esté en funcionamiento durante 1 año o un período más prolongado. El empleador puede mantener los registros en una computadora siempre que dicha computadora pueda generar formularios equivalentes. El empleador también puede mantener los registros correspondientes al establecimiento en la sede central o en otra ubicación central, siempre y cuando pueda cumplir con los requisitos de tiempo que estipulan ese es necesario registrar cada uno de los sucesos sujetos a registro dentro de los 7 días de calendario y que pueda suministrar copias de los registros a los empleados gubernamentales autorizados dentro de las 4 horas laborables, así como también suministrar copias a los empleados, ex-empleados, o a sus representantes al finalizar el siguiente día laborable. **§§1904.29(b)(3) y (5), 1904.30, 1904.35(b)(2)(v)(A), y 1904.40(a)**

466. Los 8 Pasos a Seguir para Mantener los Registros

467. Paso 1: ¿Su establecimiento está obligado a mantener registros? Generalmente, es necesario mantener un Registro 300 si ha contratado a más de 10 empleados de forma simultánea durante el último año. **§§1904.1, 1904.2, y 1904.3**

468. Paso 2: ¿La persona involucrada era un empleado de su empresa? Generalmente, si la persona lesionada es responsable ante usted por su trabajo, entonces se considera que es empleado suyo. **§1904.31**

469. Paso 3: ¿El accidente fue un accidente laboral? Si el incidente se produjo durante el horario de trabajo o mientras desarrollaba alguna actividad relacionada con el trabajo, normalmente se considera como accidente laboral. **§1904.5**

470. Paso 4: ¿Este es un nuevo caso? Normalmente se considera nuevo caso si el empleado no ha sufrido anteriormente una lesión o enfermedad del mismo tipo que afecte esa misma parte del cuerpo y que ya haya sido registrada. **§1904.6**

471. Paso 5: ¿Este incidente tuvo como resultado una muerte, días sin trabajar, restricción del trabajo o del movimiento, tratamiento médico más avanzado que los simples primeros auxilios, pérdida del conocimiento o diagnóstico médico significativo, etc.? **§1904.7**

472. Si la respuesta a cualquiera de los primeros cinco pasos es "no", no debe de anotar el incidente en el Registro 300. De lo contrario, continúe con el Paso 6:

473. Paso 6: Defina el caso para el Registro 300. Complete el Formulario 301 o un formulario equivalente para cada caso y luego ingrese los datos en el Registro 300. Debe de hacerlo dentro de los 7 días de calendario. **§1904.29(b)(3)**

474. Paso 7: Evalúe el alcance y los resultados. Deberá realizar un seguimiento de todos los días calendarios durante los cuales el empleado no ha asistido a trabajar o ha tenido que restringir sus actividades laborales debido al incidente o, si se espera que el período de recuperación sea prolongado, realizar una estimación de los días de calendario durante los cuales la capacidad laboral del empleado se verá restringida. **§1904.7**

475. Paso 8: Complete, muestre y guarde los registros. Debe de guardar el Registro 300 y todos los Formularios 301 para informes acerca de incidentes durante cinco años a partir de la finalización del año calendario que abarcan estos registros. También debe de actualizar el Registro 300 si la lesión o enfermedad registrada para el empleado se agrava durante esos cinco años. El empleador debe de suministrar un resumen anual de las lesiones y enfermedades para cada establecimiento utilizando un Formulario 300A de OSHA. El formulario correspondiente al establecimiento se debe de exhibir en un lugar público a partir del 1 de febrero del año siguiente al año que abarcan los registros y se debe de mantener a la vista hasta el 30 de abril de dicho año. El Formulario 300A se debe de exhibir en una ubicación fácilmente visible, donde habitualmente se coloquen los avisos para los empleados. **§§1904.32 y 1904.33**

476. **Protección Respiratoria** (Vea También Equipo de Protección Personal)

477. Los respiradores deberán ser suministrados por el empleador cuando dicho equipo resulte necesario para proteger la salud del empleado. El empleador deberá suministrar los respiradores necesarios y adecuados para el propósito al que se aplican. **§1910.134(a)(2)**

478. Cuando sea necesario el uso de respiradores, el empleador deberá establecer y mantener un programa de protección respiratoria. El programa deberá ser evaluado con regularidad para determinar si sigue siendo efectivo. **§1910.134(a)(2) y (c)(1)(ix)**

479. En cualquier lugar de trabajo donde se necesiten respiradores para proteger la salud de los empleados o siempre que los empleadores consideren que los respiradores son necesarios, el empleador deberá establecer e implementar un programa de protección respiratoria por escrito con procedimientos específicos para el lugar de trabajo. El programa deberá ser actualizado según sea necesario para reflejar los cambios en el lugar de trabajo que afecten el uso del respirador. **§1910.134(c)(1)**

480. El empleador debe incluir en el programa las siguientes disposiciones de esta sección, según sea pertinente:

481. • Procedimientos para seleccionar respiradores para ser utilizados en el lugar de trabajo;

482. • Evaluaciones médicas de los empleados que deban usar respiradores;

483. • Procedimientos de prueba de adaptabilidad para respiradores ajustados;

484. • Procedimientos para el uso adecuado de respiradores en situaciones de emergencia de rutina y razonablemente predecibles;

485. • Procedimientos y cronogramas para la limpieza, desinfección, almacenamiento, inspección, reparación, descarte, y otro tipo de mantenimiento de los respiradores;

486. • Procedimientos para garantizar la calidad, cantidad adecuada del aire, y flujo de aire apto para respirar para los respiradores de suministro de atmósfera;

487. • Capacitación de los empleados con respecto a los riesgos respiratorios a los que están potencialmente expuestos durante las situaciones de rutina y de emergencia;

488. • Capacitación de los empleados con respecto al uso adecuado de respiradores, incluyendo cómo colocarse y quitarse el respirador, cualquier restricción en cuanto al uso y mantenimiento; y

489. • Procedimientos para evaluar con regularidad la eficacia del programa. **§1910.134(c)(1)**

490. El patrón no permitirá que los respiradores con las piezas faciales ajustadas sean usados por los empleados que tienen pelo facial que se ponga entre la superficie de lacre de la pieza facial y la cara o que interfiera con la función de la válvula, o que tenga cualquier condición que interfiera con la función de sellado o de la válvula de la cara a pieza facial. **§1910.134(g)(1)(i)(A)**

491. Los respiradores se deben limpiar y desinfectar de forma regular y se deben inspeccionar durante la limpieza. Las partes deterioradas se deben cambiar. Los respiradores que se usan en caso de emergencia se deben inspeccionar por lo menos una vez por mes y después de cada uso. Cuando no se utilicen, los respiradores se deben guardar en una ubicación conveniente, limpia, y sanitaria. **§1910.134(h)**

492. Se debe mantener una supervisión de las condiciones del área de trabajo y del grado de exposición o estrés de los empleados. **§1910.134(g)(2)**

493. No se deben asignar tareas que requieran el uso de respiradores a las personas a menos que se haya determinado que son físicamente aptas para realizar el trabajo y usar el equipo, y se debe realizar una revisión periódica de su estado de salud. **§1910.134(e)**

494. Después de la inspección, limpieza, y reparaciones necesarias, los respiradores se deben guardar para protegerlos del polvo, la luz solar, el calor, el frío extremo, el exceso de humedad, o los productos químicos nocivos. Se debe poder acceder sin demora en todo momento a los respiradores ubicados en las estaciones y áreas de trabajo para casos de emergencia. **§1910.134(h)(2)**

495. **Sogas** (Vea Cadenas, Cables, Sogas, y Ganchos)

496. **Sierras, Portátiles Circulares** (Vea También Maquinaria para el Trabajo con Madera)

497. Todas las sierras portátiles circulares accionadas con energía eléctrica (salvo aquellas que se usan para cortar carne) cuyo diámetro de cuchilla sea mayor que 2 pulgadas (5 centímetros) deben estar equipadas con dispositivos de protección por encima y por debajo de la placa base o zapata. Los dispositivos de protección superiores deben cubrir la sierra hasta la profundidad de los dientes, salvo el arco mínimo requerido para  permitir que la placa base se pueda inclinar para realizar cortes biselados. El dispositivo de protección inferior debe cubrir la sierra hasta la profundidad de los dientes, salvo el arco mínimo requerido para permitir la retracción adecuada y el contacto con la zona de trabajo. Cuando la herramienta se retira de la zona de trabajo, el dispositivo de protección inferior debe volver automáticamente a la posición de cobertura. **§1910.243(a)(1)**

498. Todas las cuchillas de las sierras que estén agrietadas se deben dejar fuera de servicio. **§1910.243(a)(4)**

## 499. Andamios

500. Todos los andamios y sus estructuras de apoyo deben poder sostener la carga para la cual han sido diseñados con un factor de seguridad de por lo menos 4. **§1910.28(a)(4)**

501. El entarimado debe ser Calificado para Andamios, de acuerdo con las normas de calificación para las variedades de madera que se utilizan.

502. Las longitudes máximas admisibles para las tablas de 2 pulgadas (5 centímetros) x 9 pulgadas (22.5 centímetros) o planchas más anchas se suministran en la siguiente tabla:

| Carga máxima especificada | Longitud máxima admisible con madera aserrada sin revestir de grosor total | Longitud máxima admisible con madera de grosor normal |
|---|---|---|
| 25 libras (11.3 kg) por pie cuadrado | 10 pies (3 metros) | 8 pies (2.4 metros) |
| 50 libras (22.7 kg) por pie cuadrado | 8 pies (2.4 metros) | 6 pies (1.8 metros) |
| 75 libras (34.0 kg) por pie cuadrado | 6 pies (1.8 metros) | No es aplicable |

503. La longitud máxima admisible para las tablas de 1 1/4 pulgada (3.12 centímetros) x 9 pulgadas (22.5 centímetros) o tablas más anchas de grosor total es de 4 pies (1.2 metros), con una carga media de 50 libras (22.5 kilogramos) por pie cuadrado. **§1910.28(a)(9)**

504. Las tablas de los andamios deben colocarse sobre los soportes de los extremos a no menos de 6 pulgadas (15 centímetros) y a no más de 18 pulgadas (45 centímetros). **§1910.28(a)(13)**

505. Las tablas de los andamios se deben superponer como mínimo 12 pulgadas (30 centímetros) o se deben fijar para evitar que se muevan. **§1910.28(a)(11)**

506. Las barandillas no tendrán menos de 2 x 4 pulgadas o el equivalente y no tendrán menos de 36 pulgadas o más de 42 pulgadas de alto, con una barandilla central, cuando sean requeridas, de madera de construcción de 1 x 4 pulgadas o el equivalente, y los tablones de pie serán instalados en todos los lados abiertos en todos los andamios de más de 10 pies por encima de la tierra o el piso. Los tablones de pie tendrán un mínimo de 4 pulgadas de altura. **§1910.28(b)(15)**

507. Los andamios tendrán una malla de tela metálica entre el tablón de pie y la barandilla, extendiéndose a lo largo de la abertura entera. La malla debe estar hecha de media pulgada de alambre de calibre estandar 18, o el equivalente, donde requieran a las personas trabajar o pasar debajo de los andamios. **§1910.28(a)(17)**

## 508. Duchas

509. Los empleadores deben proporcionar duchas para aquellos empleados que trabajen en áreas en las que están expuestos a niveles que superen los valores de PEL o en áreas reguladas, para que se puedan duchar al finalizar su turno. Para aquellos empleados que trabajan en emplazamientos de limpieza de desechos peligrosos que estarán en funcionamiento durante seis meses o más, se deben proporcionar duchas para su uso al finalizar su turno de trabajo. **§§1910.120(n)(7) y 1910.1018(m)(2)**

## 510. Claraboyas

511. Los agujeros o aberturas de piso para claraboyas deben estar protegidos mediante una pantalla para claraboyas estándar o una baranda estándar fija en todos los lados expuestos. **§1910.23(a)(4)**

## 512. Operaciones de Acabado con Pulverización

513. En caso de que haya instalados cabinas para pulverización en seco convencionales, filtros en seco o rollos de filtro para sobrepulverización deben cumplir con lo siguiente: Las operaciones de pulverización, salvo la pulverización electrostática, deben garantizar una velocidad del aire promedio a través del extremo abierto de la cabina de no menos de 100 pies (30 metros) por minuto. Las operaciones de pulverización electrostática se pueden llevar a cabo con una velocidad del aire de no menos de 60 pies (18 metros) por minuto, según el volumen del material de acabado que se aplique y sus características de inflamabilidad y deflagración. Se deben instalar manómetros visibles, o alarmas audibles o dispositivos activados por presión para indicar o garantizar que se mantenga la velocidad de aire requerida. Las almohadillas del filtro se deben inspeccionar luego de cada período de uso, y las almohadillas del filtro que estén obstruidas se deben descartar y reemplazar. Los rollos del filtro se deben inspeccionar para garantizar el reemplazo adecuado de los medios de filtrado. **§1910.107(b)(5)(i)**

514. Todos los cojines de filtro y rodillos desechados del filtro se llevarán inmediatamente a una localización segura y bien separada o puestos en un envase de metal lleno de agua y desechados al cierre de la operación del día, a menos que sean mantenidos totalmente en el agua (a)(17). **§1910.107(b)(5)(ii)**

515. Las cabinas de pulverización se deben instalar de tal modo que se pueda acceder con facilidad a todas las partes para su limpieza. **§1910.107(b)(9)**

516. Se debe mantener un espacio libre de no menos de 3 pies (0.9 metros) en todos los lados en el que no haya construcciones para combustibles o almacenamiento. **§1910.107(b)(9)**

517. El espacio dentro de la cabina de pulverización en los lados corriente abajo y corriente arriba de los filtros debe estar protegido mediante aspersores automáticos aprobados. **§1910.107(b)(5)(iv)**

518. No debe haber ningún equipo que genere llamas o chispas en ninguna de las áreas de pulverización ni tampoco dentro de una distancia de 20 pies (6 metros) de las mismas, a menos que estén separadas por una división. **§1910.107(c)(2)**

519. El equipo y cableado eléctrico que no estén sujetos a depósitos de residuos combustibles pero que estén ubicados en el área de pulverización, tal como se define en el presente, deben ser a prueba de explosiones. **§1910.107(c)(6)**

520. Todas las piezas del metal de cabinas del aerosol, los conductos del extractor, y los sistemas de tuberías que transportan líquidos inflamables o combustibles, o los sólidos aireados serán puestas a tierra eléctricamente de una manera correcta, eficaz y permanente. **§1910.107(c)(9)(i)**

521. La cantidad de líquidos inflamables o combustibles guardados en áreas cercanas a las de las operaciones de pulverización será la cantidad mínima requerida para ejecutar las operaciones y, por lo general, no debe exceder el suministro correspondiente a 1 día o un turno. **§1910.107(e)(2)**

522. El almacenamiento a granel de contenedores portátiles de líquidos inflamables o combustibles se debe realizar en un edificio separado, que esté separado de los otros edificios importantes o aislado de manera estándar. **§1910.107(e)(2)**

523. Siempre que se transfieran líquidos inflamables o combustibles de un recipiente a otro, ambos recipientes deben estar unidos y conectados a tierra de forma eficaz para evitar que se produzcan chispas debido a la descarga de electricidad estática. **§1910.107(e)(9)**

524. Todas las áreas de pulverización se deben mantener tan libres de la acumulación de depósitos de residuos combustibles como sea posible y, si es necesario, se deben limpiar todos los días. Los raspadores, los escoplos, u otras herramientas similares utilizadas con fines de limpieza deben estar fabricadas con material que no genere chispas. **§1910.107(g)(2)**

525. Los restos y escombros contaminados con residuos se deben retirar inmediatamente de las instalaciones. **§1910.107(g)(3)**

526. Se deben colocar señales que digan "Prohibido fumar" en letras grandes sobre un fondo de color contrastante en un lugar conspicuo en todas las áreas de pulverización y habitaciones usadas para almacenar pinturas. **§1910.107(g)(7)**

## 527. Escaleras, Industriales Fijas (Vea También Barandas)

528. Cada tramo de escaleras con cuatro o más contraescalones debe tener una baranda estándar en todos los lados abiertos. Se deben colocar pasamanos en por lo menos uno de los lados de las escaleras cerradas, preferentemente en el lado derecho descendente. **§§1910.23(d)(1) y 1910.24(h)**

529. Las escaleras se deben construir de tal modo que la altura del contraescalón y el ancho del escalón sean uniformes en su totalidad. **§1910.24(e)**

530. Las escaleras fijas deben tener un ancho mínimo de 22 pulgadas (55 centímetros). **§1910.24(d)**

531. Se deben suministrar escaleras fijas para acceder de un nivel de la estructura a otro en el caso de operaciones para las que sea necesario realizar un recorrido habitual entre los distintos niveles, y para acceder a plataformas de operación de cualquier equipo que requiera atención rutinaria durante las operaciones. También se deben suministrar escaleras fijas cuando se deba acceder diariamente a lugares elevados o durante cada turno en caso de que el trabajo pueda exponer a los empleados al contacto con sustancias nocivas, o en los casos en que generalmente sea necesario transportar herramientas o equipos de forma manual. **§1910.24(b)**

532. No se permite el uso de escaleras de caracol salvo para usos especiales limitados y situaciones de acceso secundario si no resultara práctico proporcionar una escalera convencional. **§1910.24(b)**

## 533. Almacenamiento

534. Todos los materiales almacenados apilados de forma escalonada se deben apilar, bloquear, encajar y su altura se debe limitar para que estén seguros y no se resbalen ni se derrumben. **§1910.176(b)**

535. Las áreas de almacenamiento deben estar libres de la acumulación de materiales que representen riesgo de tropiezo, incendio, explosión, u hospedaje de plagas. Si es necesario, se debe poner en práctica el control de la vegetación. **§1910.176(c)**

536. En los casos en que se usen equipos de manejo mecánico, se deben dejar espacios libres seguros suficientes para los pasillos, en las dársenas de carga, al atravesar puertas, y en todos los lugares donde sea necesario pasar o girar. **§1910.176(a)**

## 537. Tanques de Superficie Abierta

538. Cuando se use ventilación mecánica, la misma debe cumplir con lo establecido en la norma ANSI Z9.1-1971, *Practices for Ventilation and Operation of Open-surface Tanks*, y la norma NFPA 34-1966, *Standard for Dip Tanks Containing Flammable or Combustible Liquids*. **§1910.124(b)(4)**

539. Si sus empleados trabajan con líquidos que puedan provocarles quemaduras, irritación, u otros daños en la piel, debe proporcionarles:

540. • Espacio en armarios u otro espacio de almacenamiento para evitar que la ropa de calle de los empleados se contamine;

541. • Una ducha de emergencia y estaciones lavaojos cerca de donde se realizan las operaciones de inmersión o revestimiento. En lugar de este equipo, se puede usar una manguera de agua que tenga por lo menos 4 pies (1.22 m) de largo y por lo menos 3/4 de pulgada (18 mm) de grosor con una válvula de apertura rápida y una presión de 25 libras por pulgada cuadrada (1.62 k/cm$^2$) o menos; y

542. • Por lo menos una vasija con un grifo de agua caliente por cada 10 empleados que trabajen con dichos líquidos. **§1910.124(g)**

543. Sus empleados deben conocer los procedimientos de primeros auxilios correspondientes para los peligros inherentes a la inmersión o al revestimiento a los que están expuestos. **§1910.124(f)**

544. **Tablones de Pie**

545. Las barandas que brindan protección a las aberturas del piso, plataformas, y anda-mios deben estar equipadas con tablones de pie siempre que sea posible que perso-nas pasen debajo del espacio abierto, donde haya maquinaria en movimiento, o donde haya equipos para los que la caída de materiales pudiera representar un riesgo. **§1910.23(c)(1)**

546. Un tablón de pie estándar debe tener por lo menos 4 pulgadas (10 centímetros) de altura y puede estar hecho de cualquier material resistente, ya sea sólido o abierto, con aperturas que no superen 1 pulgada (2.5 centímetros) como máximo. **§1910.23(e)(4)**

547. **Excusados**

548. Se deberán proporcionar excusados teniendo en cuenta lo siguiente: 1-15 personas, una instalación; 16-35 personas, dos instalaciones; 36-55 personas, tres instala-ciones; 56-80 personas, cuatro instalaciones; 81-110 personas, cinco instalaciones; 111-150 personas, seis instalaciones; más de 150 personas, una instalación por cada 40 personas adicionales. Si las instalaciones sanitarias no pueden ser utilizadas por más de una persona a la vez y se pueden trabar desde el interior, no es necesario proporcionar habitaciones separadas según el sexo. **§1910.141(c)(1)(i)**

549. Cada excusado debe estar ubicado en un compartimiento individual con una puerta y paredes o divisiones entre los dispositivos sanitarios que sean lo suficientemente altas como para garantizar la privacidad. **§1910.141(c)(2)**

550. Se deben suministrar lavabos en cada uno de los lugares de trabajo. **§1910.141(d)**

551. Los lavabos deben tener agua corriente caliente y fría o tibia; jabón de mano o su equivalente; y toallas de mano, secadores, o su equivalente. **§1910.141(d)(2)(ii)-(iv)**

552. Los requisitos anteriores no se aplican a las cuadrillas móviles o a las áreas donde generalmente no hay per-sonal, siempre que los empleados que trabajen en estas ubicaciones posean un medio de transporte inmediatamente disponible para utilizar las instala-ciones sanitarias más cercanas. **§1910.141(c)(1)(ii)**

553. **Herramientas — Manuales y Eléctricas** (Vea Herramientas Manuales; Herramientas Eléctricas Portátiles (Neumáticas))

554. **Agua para Beber o Lavarse** (Vea Agua Potable; Duchas; Excusados)

555. **Soldadura**

556. Generalidades

557. Los trabajadores asignados para trabajar con o para mantener el equipo de soldadura de arco deberán conocer los requisitos de esta sección y de §1910.252(a), (b), y (c) de esta parte; si hace la soldadura por arco protegido por gas, también debe conocer las prácticas recomendadas de seguridad para la soldadura por arco protegido por gas, A6.1-1966, de la sociedad americana de la soldadura, que se incorporan por la referencia según lo especificado en §1910.6. **§1910.254(d)(1)**

558. Los cables de soldadura de arco cuyo elemento aislante esté dañado o cuyos con-ductores estén expuestos o sin cobertura se deben reemplazar. **§1910.254(d)(9)(iii)**

559. Consulte 29 CFR 1910.252(c)(5)-(10) con respecto a las consideraciones especiales que se deben tener en cuenta cuando las operaciones de soldadura requieran flujos, recubrimientos, revestimientos, o aleaciones que involucren compuestos de flúor, zinc, plomo, berilo, cadmio, o mercurio.

560. Se debe proporcionar ventilación mecánica al realizar soldaduras o cortes en un espacio:

561. • donde hay menos de 10,000 pies cúbicos (284 metros cúbicos) por soldadora; y

562. • donde la altura superior es de menos de 16 pies (5 metros). **§1910.252(c)(2)(i)(A) y (B)**

563. Se debe proporcionar protección adecuada y protección para los ojos para evitar que el personal esté expuesto a los riesgos de la soldadura. **§1910.252(b)(2)(i)(B)-(D) y (ii)(F)-(H)**

564. Los trabajadores u otras personas que se encuentren en las áreas adyacentes a las áreas de soldadura deben estar protegidos contra los rayos de la soldadura mediante pantallas o protecciones no combustibles o ignífugas o deben usar las gafas protectoras adecuadas. Las pantallas deben estar dispuestas de tal modo que no se produzca ninguna restricción grave con respecto a la ventilación. **§1910.252(b)(2)(iii) y (c)(1)(ii)**

565. Se deberán tomar las precauciones adecuadas (aislar la soldadura y el corte, eliminar los riesgos de incendio y los combustibles, y detectar incendios) para evitar incendios en las áreas donde se trabaja con soldadura u otros trabajos con materiales a alta temperatura. **§1910.252(a)**

566. Soldadura en Espacios Cerrados

567. Todas las operaciones de soldadura y recorte que se ejecuten en espacios cerrados (como, por ejemplo, un tanque, una caldera, o un recipiente a presión) deben contar con una ventilación adecuada para evitar la acumulación de materiales tóxicos o posibles deficiencias de oxígeno. **§1910.252(c)(4)(i)**

568. En caso de que sea imposible proporcionar una ventilación adecuada, se deben usar respiradores de línea de aire aprobados por el Instituto Nacional de Seguridad y Salud Ocupacional (National Institute for Occupational Safety and Health — NIOSH) para este fin. **§1910.252(c)(4)(ii)**

569. En aquellas áreas donde se presente un peligro inminente para la vida, se deben utilizar respiradores de línea de aire con botellas de liberación de aire o equipo de aire de reserva autónomo. El equipo de aire de reserva debe contar con la aprobación de NIOSH. **§1910.252(c)(4)(iii)**

570. Si las operaciones de soldadura se ejecutan en espacios cerrados y en lugares donde se suministra a los soldadores y ayudantes respiradores de línea de aire y equipos de aire de reserva autónomos, se debe colocar a un trabajador fuera de dichos espacios cerrados para garantizar la seguridad de las personas que trabajan en el interior. **§§1910.252(c)(4)(iv) y 1910.146(d)(6)**

571. Nunca se debe utilizar oxígeno para la ventilación. **§1910.252(c)(4)(v)**

## 572. Maquinaria para el Trabajo con Madera

573. Toda la maquinaria para el trabajo con madera — como, por ejemplo, sierras de mesa, sierras de corte oscilante, sierras radiales, sierras de banda, junteras, máquinas de espiga, máquinas taladradoras y ensambladoras, limadoras, fresadoras, tornos, lijas, cortadoras de chapas, y otras maquinarias para el trabajo con madera — deben estar encerradas o protegidas, salvo la parte de la cuchilla que realiza el corte, para proteger al operador y a los demás empleados de los peligros inherentes a la operación. **§1910.213(c)-(r)**

574. Se deben proporcionar dispositivos de control de energía eléctrica en cada una de las máquinas para que el operador pueda desconectar la alimentación eléctrica de la máquina sin abandonar la posición que ocupa en el punto de operación. Los controles de energía eléctrica y los controles de operación deben estar ubicados de tal modo que el operador los alcance con facilidad desde su lugar de trabajo normal, haciendo innecesario que el operador deba estirarse sobre la cortadora para realizar ajustes. Esto no se aplica a los controles de presión constante que se usan sólo con fines de configuración. **§1910.213(b)(1) y (4)**

575. En aquellas operaciones en las que el operador pueda sufrir lesiones si los motores vuelven a encenderse después de que se produzcan cortes de energía, se deben tomar medidas para evitar que las máquinas se vuelvan a encender de modo automático al restaurarse el suministro. **§1910.213(b)(3)**

576. Las cuchillas de las sierras de banda deben estar cubiertas o protegidas, salvo la parte de trabajo de la cuchilla ubicada entre la parte inferior de los rodillos de dirección y la mesa. Las ruedas de la sierra de banda deben estar totalmente cubiertas. La parte externa del compartimiento debe ser sólida. Las partes delantera y trasera deben ser sólidas o de malla de alambre o metal perforado. **§1910.213(i)(1)**

577. Las sierras circulares de mesa deben tener una tapa sobre la parte de la sierra ubicada sobre la mesa, montada de tal modo que la tapa se ajuste automáticamente al grosor y permanezca en contacto con el material que se corta. **§1910.213(c), (d)(1), y (e)(1)**

578. Las sierras circulares de mesa deben tener una cuchilla separadora alineada con la cuchilla, separadas por un espacio de no más de 1/2 pulgada (8 milímetros) por detrás de la cuchilla de mayor tamaño montada en la sierra. No se aplica la disposición con respecto a una cuchilla separadora en relación con el trabajo de ranurado, ranurado para formación de juntas, o para adaptación de piezas. **§1910.213(c)(2) y (e)(2)**

579. Las sierras para corte a lo largo deben tener una cuchilla separadora alineada con la cuchilla y no deben ser más finas que la cuchilla. No se aplica la disposición con respecto a una cuchilla separadora en relación con el trabajo de ranurado, ranurado para formación de juntas, o para adaptación de piezas. **§1910.213(c)(2) y (e)(2)**

580. Las sierras circulares de mesa que se utilizan para aserrar a lo largo deben tener lengüetas o trinquetes para evitar reculadas. Las sierras para corte a lo largo deben tener lengüetas o trinquetes para evitar reculadas. **§1910.213(c)(3) y (f)(2)**

581. Las sierras invertidas de corte de tipo oscilante o deslizante deben tener una tapa que cubra la parte de la sierra que sobresale por encima de la parte superior de la mesa o del material que se corta. **§1910.213(g)(4)**

582. Las sierras radiales deben tener un dispositivo de protección superior que cubra totalmente la mitad superior de la cuchilla de la sierra. Los lados de la parte inferior expuesta de la cuchilla deben estar protegidos mediante un dispositivo que se ajuste de forma automática al grosor y permanezca en contacto con el material que se está cortando. **§1910.213(h)(1)**

583. Las sierras radiales que se utilizan para aserrar a lo largo deben tener lengüetas o trinquetes para evitar reculadas. **§1910.213(h)(2)**

584. Las sierras radiales deben tener un tope ajustable para evitar que el recorrido hacia adelante de la cuchilla se extienda más allá de la posición necesaria para completar el corte en operaciones repetitivas. **§1910.213(h)(3)**

585. Las sierras radiales se deben instalar de modo que el cabezal de corte vuelva a la posición inicial cuando el operador lo suelte. **§1910.213(h)(4)**

586. Los rodillos de alimentación y las cuchillas de las sierras circulares de alimentación automática deben estar protegidos con una tapa o protección para evitar que la mano del operador entre en contacto en algún punto del recorrido con los rodillos que van hacia adentro. **§1910.213(f)(1)**

587. Las sierras de corte oscilante o deslizante deben tener una tapa que cubra por completo la mitad superior de la sierra. **§1910.213(g)(1)**

588. Las sierras de corte oscilante o deslizante deben tener topes limitadores para evitar que las cuchillas continúen el recorrido más allá del borde delantero o trasero de la mesa. **§1910.213(g)(3)**

589. Las sierras de corte oscilante o deslizante deben tener un dispositivo eficaz para que la sierra vuelva automáticamente a la parte posterior de la mesa cuando se la suelte en algún punto del recorrido. **§1910.213(g)(2)**

# Receiver's Certificate

## English

I agree to familiarize myself with this book and to comply with its provisions. I also promise to follow all procedures as required by the company for which I am employed. Further, I acknowledge that I have received this edition of the "General Industry Fieldbook."

This informational booklet is intended to provide an overview of "29 CFR 1910 OSHA General Industry." Due to the frequency of changes in government regulations, it is best to check with a supervisor or www.oshacfr.com for the latest regulations.

## Español

Acuerdo a familiarizarme con este libro y cumplir con sus provisiones. También prometo seguir todos los procedimientos como requerido de la compañía para la cual soy empleado. Adelante, reconozco que he recibido esta edición de la "Manual para Uso en Industria General. "

Este folleto informativo es querido para proporcionar una descripción de "29 CFR 1910 OSHA General Industry." Debido a la frecuencia de cambios de regulaciones del gobierno, es lo mejor comprobar con un supervisor o el sitio web de OSHA para las últimas regulaciones.

---

Name/Nombre

---

Date/Fecha

---

Company Name/Nombre de la Compañía

---

Signature/La Firma

---

Supervisor's Signature/La Firma del Supervisor

This form should be signed by the associate and supervisor and placed in the associate's personal file.

Esta forma debería ser firmada por el socio y supervisor y colocada en el archivo personal del socio.

**MANCOMM**®
Mangan Communications, Inc.

Changing The Complex Into Compliance®

**Mangan Communications, Inc.**
315 West Fourth Street
Davenport, Iowa 52801
(563) 323-6245
1-800-MANCOMM
(626-2666)
Fax: (563) 323-0804
Website: http://www.mancomm.com
E-mail: safetyinfo@mancomm.com